Elin L

Rhwng y Nefoedd
a Las Vegas

yl Lolfa

Argraffiad cyntaf: 2004
Ail argraffiad: 2005

© Elin Llwyd Morgan a'r Lolfa Cyf., 2004

Llun y clawr: Muchacha en la Ventana gan Salvador Dali
© Salvador Dali, Gala-Salvador Dali Foundation,
DACS, Llundain 2004

Diolch hefyd i'r Muso Nacional Centro de Arte Reina Sofiá, Madrid

Llun yr awdur: Erfyl Lloyd Davies

Rhif Llyfr Rhyngwladol: 0 86243 725 3

y **Lolfa**

Cyhoeddwyd, argraffwyd a rhwymwyd yng Nghymru
gan Y Lolfa Cyf., Talybont, Ceredigion SY24 5AP
e-bost ylolfa@ylolfa.com
gwefan www.ylolfa.com
ffôn (01970) 832 304
ffacs 832 782

Ysbeidiau o gelwydd, ysbeidiau o wirionedd,
Methu gweld yn glir, methu aros yn llonydd

– Mewn Plu, Y Cyrff

Heaven or Las Vegas
– Cocteau Twins

Paradise is close at hand in images of elsewhere
– Godspeed, Catatonia

I'm teulu

Diolchiadau

Diolch o galon i Alun Jones am ei anogaeth
a'i gyngor gwerthfawr wrth olygu'r nofel,
ac i weddill staff y Lolfa.
Diolch i Peris a Joel am bob dim.

Rhan Un

I.

GWESTY'R STARDUST, Las Vegas. Neu i roi iddo'i enw llawn, *Stardust Hotel, Resort & Casino*. Dyma lle'r ydw i a'm darpar ŵr yn aros, mewn clamp o stafell efo coeden balmwydd yn y gongl a digon o le i hanner dwsin o bobl yn y gwely maint brenhinol.

Un o feiau penna stafelloedd mewn gwestai fel arfer ydi eu bod nhw'n rhy fach a chyfyng, ond dwi'n siŵr y medrai Stretch Limo wneud *three-point-turn* yn y stafell yma yn ddidrafferth. Mae 'na rywbeth hyfryd o afradlon mewn gorwedd ar y cynfasau satin pinc a chael yr holl ehangder moethus yma i mi fy hun, i fyny fry ar y trydydd llawr ar hugain â chymaint a hynny'n nes at y nefoedd.

Pwy yn ei iawn bwyll fyddai'n dewis mynd ar wyliau mewn carafán ar ôl aros mewn gwesty fel hwn? Nid y fi yn sicr. Nid yn fy oed i. Nid rŵan fy mod i wedi cychwyn ar fy mywyd newydd efo Ifor ac ar fin priodi am yr eilwaith.

'Wyt ti wedi gweld fy sbectol i?' Ar y gair, daw Ifor allan o'r stafell molchi mewn gŵn gwyn a'i wallt du-a-brith yn bigau gwlyb am ei ben. Iesgob mae o'n beth del – yn fwy trwsiadus nag yr oedd o yn nyddiau di-hid ei ieuenctid.

'Fa'ma, ar y bwrdd wrth ymyl y gwely.'

Tydi rhai pethau byth yn newid, fel y dynion yn fy mywyd yn gofyn i mi: '*Wyt ti wedi gweld fy sbectol/smôcs/papur newydd/partner yr hosan yma?*' byth a hefyd.

Roedd Mal, fy nghyn-ŵr, yn ofnadwy felly – byth yn medru dod o hyd i bethau, a byth yn diolch i mi am ddod o hyd iddyn nhw wedyn, dim ond rhoi'r bai arna i am fod yn anhrefnus.

Mae Ifor, chwarae teg iddo fo, yn diolch i mi wrth roi ei sbectol ar ei drwyn, ac wrth iddo ddiosg ei ŵn dwi'n methu peidio â rhythu ar ei noethni tyn. Mor wahanol i Mal efo'i frest flewog a'i fol cwrw.

'Wyt ti eisiau diod?' Daw acen Americanaidd Ifor i dorri ar draws fy meddyliau wrth iddo chwilota yn y mini bar. '*Champagne*?'

'Dyro hwnna'n ôl! Maen nhw'n codi crocbris am y diodydd 'na.'

'Sdim ots.'

Rêl Ifor – yr un mor anymarferol rŵan, ac yntau'n athro prifysgol, ag yr oedd o'n fyfyriwr penchwiban.

'Oes, ma ots. Tydan ni ddim yn graig o arian...'

Daw'r 'ni' brenhinol yna allan cyn i mi fedru brathu 'nhafod. Nid bod Ifor yn sylwi – yn wahanol i Mal. Mi fasa hwnnw wedi cythru am y gair fel cath am lygoden a dweud:

'Be ti'n feddwl, 'ni'? Fy arian i ydi o.' Fel jôc, wrth gwrs. Pob dim yn jôc gan Mal, er bod y jôcs yn annifyr o agos at y gwir yn aml.

'Tyd, awn ni i lawr i'r bar am aperitif bach. Ma'r diodydd yn rhatach yn fan'no.'

Dwn i ddim pam, ond fedra i ddim cael Mal oddi ar fy meddwl heno, fel petai o'n benderfynol o darfu ar fy mwynhad hyd yn oed yn ei absenoldeb. Rhaid i mi wneud rhywbeth: thâl hi ddim i mi orweddian yma'n stilio.

Dwi'n neidio oddi ar y gwely ac yn mynd i'r stafell molchi *en suite*, lle mae'r goleuadau meddal, myglyd yn gelwyddog o glên. Gresyn na fyddai pob drych a golau mewn bywyd yn *soft focus*.

Yn gynyddol aml y dyddiau yma, mi fydda i'n dychryn wrth weld fy hun yn y drych. Y gwyneb efo'r ôl byw arno o dan y colur, a'r bloneg canol oed yn padio fy nghluniau gan gripian i fyny at fy nghanol, a arferai fod mor fain. Ond fiw i mi fynd ar ddeiet rhag ofn i'm gwyneb grebachu fel penglog. Dyna'r *Catch 22* o fynd yn hŷn, gwaetha'r modd.

Dwi'n cofio teimlo'r un arswyd yn fy nhridegau cynnar wrth gael cip arna i fy hun mewn ffenest siop, wrth wthio fy nau blentyn blin – Sam a Cadi – mewn coetsh ddwbwl â golwg wedi hario'n lân arna i.

Hen gyfnod caled oedd hwnnw. Y diflastod a'r undonedd o fod adra'n magu plant. Yn eiddigeddus o'r mamau hynny oedd yn mynd allan i weithio, ac yn eu dirmygu nhw ar yr un pryd am ddewis y ffordd rwydd. Ond yn methu ag uniaethu chwaith efo'r mamau eraill oedd wrth eu boddau yn chwarae tŷ bach a thrin a thrafod eu plant rownd y blydi rîl.

'Dwn i'm i be oeddach chdi isio plant yn y lle cynta,' arferai Mal edliw pan fyddwn i'n cwyno, gan ddweud y dylwn i fod yn ddiolchgar 'mod i'n cael bywyd mor braf, ac y basa fo wrth 'i fodd petai o'n cael aros adra yn lle gorfod diodde'r straen o redeg ei fusnes ei hun.

Mal yn cadw tŷ a magu plant! Roedd hynny'n jôc. Achos nid *new man* mo Mal ond Cymro yn y mowld Eidalaidd. Yn drwm a macho a phryd tywyll a flash, fel rhyw Tony Soprano Gwlad y Medra. Dyna ran o'r atyniad mae'n debyg, gan 'mod i wastad wedi licio dynion Eidalaidd yr olwg: Robert de Niro, Al Pacino, Andy Garcia a'r criw yna i gyd... Licio'r *Latin temperament* hefyd, taswn i'n bod yn onest – yr holl weiddi a chwifio dwylo ac emosiynau tanbaid.

Ond tydi Ifor ddim yn edrych nac yn ymddwyn fel Eidalwr. Maen nhw'n dweud bod pobl yn dueddol o gael eu denu at yr un math o bobl bob tro, ond tydi hynny ddim yn wir yn fy achos i. Mae Ifor a Mal mor wahanol â mêl a menyn. Ac ar ôl treulio cymaint o flynyddoedd efo un, roeddwn i'n blysu blas ar fywyd efo'r llall.

2.

ROEDD IFOR wedi bod ar fy meddwl i ers i Meinwen ffonio i sôn am yr Aduniad. Roeddwn i'n edrych ymlaen at weld y lleill hefyd, wrth gwrs, ond Ifor yn benna. Ers i mi glywed ei fod o'n dod yr holl ffordd o Boston yn unswydd er mwyn cyfarfod â chriw ohonon ni, ei hen gyd–fyfyrwyr, roeddwn i wedi cyffroi'n lân, a rhan ohona i'n methu peidio meddwl – neu obeithio o leia – mai fi oedd y prif reswm pam ei fod o wedi penderfynu dod i'r aduniad.

'Ddeudist ti wrtho fo pwy fysa yno?' gofynnais i Meinwen.

'Ddeudis i wrtho fo dy fod *ti'n* mynd ti'n feddwl,' atebodd Meinwen, yn fy nabod i fel cefn ei llaw, er ein bod ni wedi ymbellhau dros y blynyddoedd. 'Wel, mi ddeudis i wrtho fo 'mod i am ofyn i chdi – ymhlith pobol erill, wrth gwrs.'

'Fatha pwy?'

'Y Criw, siŵr iawn.'

'Neb arall?'

'Pam na ddeudi di pwy ti'n feddwl, Alys?'

'Sara Rheidol?'

'Dwi heb ofyn iddi hi eto.'

'Ond ti am neud?'

'Fedra i ddim peidio'n hawdd iawn, na fedra?'

'Na fedri, beryg.'

'Y fflam yn dal ynghynn ar ôl yr holl flynyddoedd, felly?'

'Am be ti'n sôn?'

'Dy deimlada di tuag at Ifor.'

'A deud y gwir wrthach chdi, Mein, prin dwi wedi meddwl amdano fo ers blynyddoedd.'

Roedd hynny'n wir. Angof pob anwel ac ati. Ond roedd gennon ni hanes, Ifor a minnau, a hwnnw'n hanes anorffenedig. Perthynas a dorrwyd yn ei blas cyn iddi gael cyfle i ddatblygu'n iawn.

Roeddwn i'n nabod Ifor ymhell cyn i Mal ddod ar y sîn, ac mi ddalion ni i gadw mewn rhyw fath o gysylltiad am flynyddoedd wedyn. Ond tydi hi byth yn rhwydd, nac yn deg, cynnal perthynas efo hen gariad unwaith yr ydych chi'n canlyn yn selog efo rhywun arall.

Americanwr o dras Cymreig ac Iddewig oedd Ifor Stone, wedi'i fagu yn Ithaca, New York State. Roedd ei dad yn ddarlithydd Saesneg ym mhrifysgol Cornell, a'i fam, Gwyneth, yn gyd-reolwraig un o sinemâu celf y dref.

Roedden nhw'n byw gerllaw'r plasty a arferai fod yn gartref i Johnny Weissmuller, y Tarzan gwreiddiol, heb fod ymhell o un o geunentydd enwog y dref. Ceunant efo pont raff yn ei groesi mewn un man, fel yn y jyngl (dyna pam y teimlai'r hen Johnny Weissmuller mor gartrefol yno mae'n debyg) a lle'r oedd mwy nag un myfyriwr wedi taflu ei hun i'w farwolaeth felodramatig.

Roedd Ithaca yn lle gwahanol iawn i'r ddelwedd arferol o America geg-fawr faterol. Bron y gellid dweud bod ei thrigolion yn gwneud eu gorau i dynnu'n groes i'r ddelwedd honno trwy lenwi eu tref â siopau llyfrau, orielau, sinemâu uchel-ael a thai bwyta chwaethus – amryw ohonyn nhw'n rhai llysieuol, gan dynnu tafod sidêt ar sothach plastig McDonalds.

Roedd o'n sicr yn lle delfrydol i gael eich magu, yn ôl Ifor. Yn dref golegol, wâr a glân a chlyd. Ond, fel sawl

Americanwr arall o'i flaen, roedd gan Ifor ysfa gref i ddarganfod ei wreiddiau a dysgu iaith ei gyndadau – ar ochor ei fam, beth bynnag, gan y gwyddai fwy na digon am hanes dirdynnol teulu ei dad yn barod.

Ac felly fe ddaeth Ifor i Aber, i dref golegol arall, gan ymgartrefu yno am rai blynyddoedd efo'r rhwyddineb rhyfeddol yna i setlo a gwneud ffrindiau sy gan Americanwyr.

Er hynny, tipyn o adyn oedd Ifor yn y bôn, yn dawel-hyderus ac annibynnol heb ofni bod ar ei ben ei hun. Mae hynny'n ddawn ynddo'i hun, ac yn gofyn am ruddin a chymeriad cryf. Faswn i'n methu bod felly, dwi'n gwybod. Bob tro y bydda i'n teithio i rywle ar fy mhen fy hun – ar y trên yn enwedig – mae yna ryw grinc neu feddwyn yn siŵr o ddod ata i a dechrau mwydro.

'*Weirdo magnet* wyt ti, dyna pam,' medda Cadi'r ferch un tro. Yn baragon o normalrwydd fel ei thad. Ond mae'n debyg bod ganddi bwynt: y ffaith bod y *weirdos* yn synhwyro rhyw chwinc ynof innau hefyd, y niwrosis o dan yr wyneb synhwyrol. Fasan nhw byth yn pigo ar Cadi, rhowch hi fel'na.

Dawnsio'n fronnoeth ar ben bwrdd yn y *Basement Bar* roeddwn i y noson pan wnes i gyfarfod Ifor. Cyfarfyddiad a fydd yn codi cywilydd arna i am byth, yn enwedig wrth gofio gweld y lluniau ohona i yn y *News of the World* y Sul canlynol. Cefyn Efyns, y ffotograffydd lleol, wedi gwneud ffortiwn fach iddo fo'i hun ar fy nhraul i, y sinach barus iddo fo – a Mam yn bytheirio arna i ar y ffôn a 'nghyhuddo i o roi gyrfa wleidyddol Dad yn y fantol. Fel mae'n digwydd, rhoi hwb i'w ddelwedd o ddaru'r holl ffiasco, ond nid dyna'r pwynt medda Mam.

Newydd orffen fy arholiadau gradd roeddwn i y diwrnod hwnnw, ac wedi mynd yn hollol dros ben llestri efo'r dathlu.

Y Criw: fi, Crallo, Meinwen a Gej – er 'mod i a Crallo wedi colli'r ddau arall ar ein taith o gwmpas tafarnau'r dre a bron â llithro ar ein tinau i lawr grisiau'r *Basement Bar.*

Roedd y miwsig yn uchel a chwantus a finna ar dân isio dawnsio, felly pan heriodd Crallo fi i ddawnsio ar ben bwrdd, mi wnes i. A phan ddechreuodd criw o hogia guro dwylo a chwibanu o 'nghwmpas i, mi dynnais fy ffrog *French Connection* fain a gadael iddi ddisgyn yn swp wrth 'y nhraed, a dal i ddawnsio yn fy nics a'm sodlau uchel.

Daeth Ifor i'r adwy o rywle yn rêl gŵr bonheddig. Er mai dim ond newydd orffen ei flwyddyn gynta roedd o, roedd o wedi cael gafael ar ŵn raddio rhywun, a chyn i mi gael fy llarpio'n fyw gan y cŵn glafoeriog o 'nghwmpas, roedd o wedi cydio yn fy llaw a'm helpu i lawr oddi ar y bwrdd a tharo'r ŵn dros fy sgwyddau. Ond nid cyn i glic-glic camera Cefyn Efyns ein dallu ni'n dau.

Roedd Crallo wedi diflannu, felly mi dderbyniais wahoddiad Ifor i fynd yn ôl i'w fflat am baned. Y gwir amdani ydi y baswn i wedi mynd petai Crallo yno neu beidio. Ond aeth y baned yn angof pan adewais i'r ŵn ddisgyn oddi ar fy sgwyddau a thynnu Ifor tuag ata i. Effaith y ddiod a'r adrenalin yn fy ngwythiennau, a'r blys yn ei lygaid yn fy ngwneud i'n hy a byrbwyll.

Roedd y ddau ohonan ni'n teimlo'n chwithig fore trannoeth. Fy nwylo i'n crynu wrth i Ifor roi mwg o goffi i mi, a finnau'n rhoi chwerthiniad bach cryg wrth ddarllen y logo: Undeb Mygiau Coffi Aberystwyth.

'Swreal,' medda fi. 'Llond swyddfa UMCA o fygia mawr yn yfad coffi allan o fyfyrwyr.'

Gwenodd Ifor yn nerfus, yn siŵr o fod yn meddwl 'mod i'n hollol wallgo.

'*Mae dy freichiau fel carchar rhywiol.*' Fy nhro i i feddwl ei fod o'n wallgo, nes i mi sylwi ei fod o'n syllu ar fy mreichiau cyhyrognoeth.

'Y Cyrff,' medda fi, yn falch ohona i fy hun am nabod y dyfyniad. 'Er ei fod o'n swnio fatha rwbath gan Dafydd ap Gwilym.'

Roedd 'na boster o'r Cyrff ar y wal, wrth ymyl y poster enwog hwnnw o Flodeuwedd â'i gwallt gwinau yn fframio ei hwyneb prydferth.

'Hollol amlwg 'mod i mewn stafell myfyriwr Cymraeg,' medda fi.

'Beth yw hynny – beirniadaeth neu gompliment?'

'Ffaith.'

'Beth sy gen ti ar dy waliau felly?'

'Poster *The Queen is Dead,* The Smiths. Poster o Robert de Niro yn *Taxi Driver.* Llun papur newydd o Gorbachev. Llun gan Dalí, *Muchacha en la ventana,* o hogan yn sbio allan drwy ffenast – o'r cefn, ti'm yn gweld ei gwynab hi. Fy hoff lun i gan Dalí. Rhaid i chdi ddod draw i'w weld o rywbryd.'

Doeddwn i ddim wedi bwriadu i hynny swnio fel *come-on,* ond mi wnaeth swnio felly. Cochais a phlygu 'mhen i drio cuddio'r ffaith, er mai dim ond gwneud i mi gochi'n waeth ddaru hynny. Ddaru Ifor ddim brathu'r abwyd beth bynnag.

'Mae hyn yn dipyn o grefft, ti'm yn meddwl?' mentrais wedyn.

'Beth?'

'Gwbod be i ddeud a sut i ymddwyn efo pobl ar ôl i chdi gysgu efo nhw. Tydi hi byth yn hawdd.'

'Does gen i ddim llawer o brofiad o'r peth fy hun.'

Cochais at 'y nghlustiau eto. Fedrwn i ddim dweud â'm llaw ar 'y nghalon, '*Na finna chwaith,*' ac mae'n debyg bod Ifor yn gwybod hynny.

'Reit, well i mi'i throi hi,' medda fi gan godi ar 'y nhraed yn sydyn. Rocdd hi'n amlwg bod Ifor ar bigau isio cael gwared ohona i. 'Wela i di o gwmpas, siŵr o fod.'

'Wyt ti'n bwriadu aros yn Aber, 'te?'

'Yndw. I sefydlu cwmni drama.' *Chei di ddim 'y ngwared i mor rhwydd â hynny,* meddyliais.

'Diddorol. Wela i di o gwmpas felly,' medda fo, a chau'r drws cyn i mi gael cyfle i fynd trwyddo bron.

Roeddwn i wedi meddwl yn siŵr mai dyna oedd dechrau a diwedd 'mherthynas i ag Ifor. Un noson o garu a dyna ni. Ond, yn hollol groes i'r disgwyl, fe dyfon ni'n ffrindiau mawr − er mawr loes i Crallo, oedd wedi meddwl mai fo oedd fy ffrind gorau gwrywaidd i.

Ond yn hytrach na chadw ein perthynas yn un blatonig fel fy un i a Crallo, mi adewais i ac Ifor i'n cyfeillgarwch lithro weithiau i lefel fwy cnawdol nag sy'n arferol rhwng pobl sy'n ddim ond ffrindiau. Roeddan ni'n cysgu efo'n gilydd yn achlysurol, mewn geiriau eraill. Hwyrach y byddai pethau fymryn yn chwithig rhyngon ni am ddiwrnod neu ddau wedyn, ond yna, mi fasa popeth yn ôl fel roedden nhw − bron iawn.

Mae rhyw yn newid popeth, yn uno ac yn dieithrio pobl yr un pryd, ac yn fy achos i ac Ifor, roedd rhyw fel cerdded dros y bont raff honno yn Ithaca: yn ddigon diogel ar un ystyr, ond dim ond llithriad bach oedd ei angen i'n lluchio ni'n dau ar ein pennau i'r ceunant cegrwth oddi tanon ni.

'Ffrindia ydan ni, dyna i gyd,' byddai Ifor yn ei ddeud bob tro − pa un ai mewn ymgais i'w berswadio ei hun, neu rhag ofn i mi obeithio am gael bod yn fwy na ffrindiau, dwn i ddim. Wnes i erioed ofyn iddo fo. Gormod o ofn cael 'y ngwrthod. Mwy o ofn rhoi ein cyfeillgarwch ni yn y fantol.

Roedd yna rywbeth arallfydol bron am Ifor, rhyw odrwydd cynhenid oedd yn ei osod o ar wahân i bawb arall

– am ei fod o'n dod o wlad arall yn rhannol mae'n debyg. Roedd yna hefyd elfen o'r hogyn-bach-ar-goll ynddo, a hynny'n gwneud i mi deimlo'n famol tuag ato, a'i gymryd o dan fy aden a'i folicodlo.

Mae merched yn dueddol o gael eu denu at *loners* – wel, *loners* deniadol beth bynnag – yn licio'r her o drio treiddio trwy'u cragen nhw. Ond bob tro y byddwn i'n teimlo 'mod i ar fin llwyddo i wneud hynny efo Ifor, mi fasa fo'n cilio i'w gragen unwaith eto. Roeddwn i'n meddwl ar y pryd bod arno ofn ymrwymo'n emosiynol, ond, o edrych yn ôl, roedd o'n rhywbeth dyfnach na hynny – rhyw ginc yn ei gyfansoddiad seicolegol oedd yn gwneud iddo osgoi agosatrwydd.

Yn wahanol i'r rhelyw o Americanwyr, un sâl iawn oedd Ifor am fân siarad, a rhoddai hynny'r camargraff i bobol ei fod o naill ai'n swil neu'n anghwrtais.

Ar ben hynny, roedd ganddo fo ffobiâu ac obsesiynau. Ffobia ynglŷn â salwch a marwolaeth, oedd braidd yn anffodus gan mai dyna a ddaw i'n rhan ni i gyd yn y pen draw. Ac eto doedd arno fo ddim ofn teithio, er ei fod o'n teimlo'n saffach mewn awyren nag mewn car (yn enwedig pan fyddwn i'n gyrru!) gan fod y ganran o bobl a gâi eu lladd mewn damweiniau awyren yn llawer is na'r ganran o bobl a gâi eu lladd mewn damweiniau car.

Roedd Cymru yn bendant yn obsesiwn ganddo, ac mae'n debyg 'mod i'n rhan o'r obsesiwn hwnnw. Ei lygaid o'n llawn doleri, fel llygaid cymeriad cartŵn am ei fod o wedi bachu Cymraes o deulu adnabyddus a diwylliedig, er ein bod ni'n betha cyffredin ar y naw mewn gwlad mor fach. Er hynny, mi faswn i'n licio meddwl mai 'nghymeriad i yn hytrach na'm pedigri oedd bwysica iddo fo.

Roedden ni'n gyfforddus iawn yng nghwmni'n gilydd ar y cyfan, heblaw am yr adegau pan fyddai Ifor yn dechrau anesmwytho am fod pethau mewn peryg o fynd yn rhy glòs rhyngon ni, a minnau'n gorfod ymatal rhag taflu fy hun wrth ei draed a dweud wrtho 'mod i'n ei garu. Wnes i ddim rhag ofn iddo fo gael llond twll o ofn a'i heglu hi allan o 'mywyd i. Mi wnaeth o hynny beth bynnag fel y digwyddodd hi, felly o sbio'n ôl, fasai'n waeth i mi fod wedi cyfadda 'nheimladau iddo fo ddim.

Chafodd Ifor mo'i dderbyn yn un o'r Criw. Fy ffrind i oedd o, nid ffrind y lleill, ac roedd ganddyn nhw hefyd ffrindiau a chariadon oedd yn rhan o'r un cylch cymdeithasol ehangach ond heb fod yn rhan o'r cylch mewnol clòs. *Clique*, mewn gair. Mae'n gas gen i glics mewn egwyddor, ond mae'n wahanol pan ydach chi'n perthyn i glic eich hun. Bryd hynny mae yna deimlad clyd ac elitaidd o berthyn.

Ond, erbyn dechrau haf 1993, roedd y Criw wedi dechrau chwalu wrth i bawb fynd eu ffyrdd eu hunain. Aeth Gej i dreulio'r haf fel *DJ* mewn clwb nos yn Ibiza, gan adael ei siop recordiau yng ngofal Ratsh (ffrind i mi a fu'n ddigon breintiedig i gael ei derbyn fel rhan o'r Criw, yn rhannol am iddi gael joban gan Gej ac am i'r ddau ddod yn gariadon wedyn). Aeth Crallo i Lundain i chwarae gitâr efo grŵp Eingl-Gymreig a dyfodd i fod yn fyd-enwog ymhen rhai blynyddoedd. Ac es innau ar daith o gwmpas Cymru efo cwmni theatr Ad Hoc.

Meinwen oedd yr unig un a arhosodd yn Aber, a hynny fel gweinyddwraig i gwmni teledu ffeminyddol Siobet, er bod ganddi ei bys mewn sawl briwas arall yn ogystal: rhoi help llaw yn swyddfa Cymdeithas yr Iaith (h.y. ychwanegu at y llanast oedd yno'n barod), cyflwyno ei rhaglen ei hun ar Radio Ceredigion, a bod yn aelod o Barti Dawnsio Gwirion (sic) Y Cŵps.

Tua'r un adeg, dychwelodd Ifor i America ar ôl derbyn ysgoloriaeth i wneud doethuriaeth yn Harvard. Yr haf canlynol mi dderbyniais i wahoddiad – cwbl annisgwyl – i fynd i aros ato yn Boston, ond erbyn hynny roeddwn i wedi dechrau canlyn efo Mal ac wedi gwirioni gormod arno i fentro rhoi ein perthynas yn y fantol trwy fynd i aros efo hen fflam yr ochr arall i'r Iwerydd. Mi faswn i'n dweud celwydd petawn i'n dweud na wnes i erioed gicio fy hun am hynny.

Mae'n siŵr bod yna Ifor Stone ym mywydau'r rhan fwya ohonon ni ramantwyr. Y cyn-gariad sy'n dal i lercian yn ein calonnau. Yr Un a Ddihangodd, gan adael cymysgfa o hiraeth mud ac atgofion melys ar ei ôl. A hynny'n aml am iddyn nhw'i heglu hi cyn i realiti ddod i ddifetha'r ddelfryd.

Ond, fel y deudais wrth Meinwen ar y ffôn, prin roeddwn i wedi meddwl am Ifor ers blynyddoedd. A phetawn i'n hollol onest â mi fy hun, mi faswn i wedi anghofio amdano fo'n llawer cynt pe bawn i heb fynd allan o fy ffordd i gadw'r fflam ynghynn. Mae'n braf cael rhywbeth i droi ato pan fydd eich bywyd chi mewn rhigol. Dyna pam bod rhai pobl yn cael affêrs. Dyna pam bod pobl eraill yn gadael eu teuluoedd. Pobl fel Mam. Maen nhw'n dweud bod pob merch yn tyfu i fod fel ei mam, ond roeddwn i'n benderfynol na fyddai hynny'n wir yn fy achos i.

Roedd yr atgofion wedi llifo'n ôl ers i mi gael gwahoddiad i'r aduniad, gan beri i mi edrych ymlaen at yr achlysur na fu erioed y ffasiwn beth. Fel hogan ifanc yn edrych ymlaen at gyngerdd Robbie Williams ac yn ffantaseiddio amdano fo'n ei thynnu hi i fyny ato ar y llwyfan ac yn ei chusanu o flaen miloedd o genod eraill, gwyrdd gan genfigen. Nid 'mod i'n gwybod be mae genod yn ei weld yn y pen bach efo'i swagar a'i wyneb mwnci, dim ond gwybod ei fod o'n wrthrych ffantasïau y rhan fwya o'm myfyrwragedd.

Fy myfyrwragedd! Swnio'n bwysig, tydi? Er mai darlithydd drama mewn coleg trydyddol oeddwn i yn hytrach na darlithydd prifysgol. Nid bod ots gen i o gwbl, gan 'mod i'n mwynhau dysgu pobol ifanc 16-18 oed. Mae ganddyn nhw ryw egni heintus, rhyw *joie-de-vivre* dilyffethair, cyn i gyfrifoldebau a siomedigaethau bywyd ddod i ladd rhywfaint ar eu hysbryd.

'Ti'sio i mi ddŵad efo chdi?' gofynnodd Mal.

'I lle?' gofynnais innau, yn bell i ffwrdd.

'I'r aduniad 'ma, 'de.'

'I be?' gofynnais, gan drio mygu 'mhanig.

'Meddwl bo chdi isio cwmni. *Moral support* a ballu. Ond yn amlwg ti ddim.'

'Ddim dyna ydi o. Dwi'm yn meddwl bod partneriaid yn mynd. Aduniad ydi o wedi'r cyfan.'

'A ti ddim isio fi yno yn crampio dy steil di!'

'Ddim dyna ydi o!' mynnais eto, ond roedd hi'n amlwg ar y wên ar ei wyneb mai dim ond tynnu 'nghoes i roedd o.

'Mwynha di dy hun, dol,' medda fo. 'Fydd hi'n braf i chdi gael gweld dy hen ffrindia.'

Teimlais bang o euogrwydd pan ddeudodd o hynny, er nad oeddwn i'n bwriadu gwneud unrhyw dro gwael â Mal. *Gwnewch i eraill fel y mynnech i eraill ei wneud i chwi*. Petai o'n anffyddlon i mi, faswn i byth yn medru maddau iddo fo – roeddwn i'n berson rhy genfigennus o lawer. Roedd o felly yn haeddu yr un ffyddlondeb gen i. Ond eto, fedrwch chi ddim cadw gwahardd ar feddyliau neb, na sensro eu breuddwydion, ddim hyd yn oed eich rhai chi eich hun.

A phan ffarweliais â Mal cyn cychwyn ar fy nhaith i'r aduniad yn Aber – yn yr MG gwyrdd, 'run lliw â'm llygaid, yn hytrach na'r jîp, er mwyn creu argraff ar fy hen ffrindiau a chyfoedion – rhaid i mi gyfadde nad oedd fy mwriadau yn rhai cwbl anrhydeddus.

'Cymar ofal,' meddai Mal. 'Ma hi 'di bwrw'n drwm yn ystod y nos. Mi fydd y lonydd yn slic.'

'Siŵr o neud,' medda fi.

Ond roedd yna löynnod byw yn fy stumog wrth i mi feddwl am Ifor, a rhyw gyffro yn tonni trwof fel petawn i'n hogan ifanc eto. Felly ddaru rhybudd Mal ddim fy stopio i rhag rhoi 'nhroed i lawr yn drwm ar y sbardun wrth i'r car gyrraedd y Lôn Bost sy'n rhedeg trwy ganol Ynys Môn, â finnau ar fy ffordd yn ôl i'm gorffennol...

3.

A R ÔL BLYNYDDOEDD maith o fod ar wahân, fe ailafaelodd Ifor a minnau yn ein perthynas efo sêl cariadon cynta yn harddegau. Ond doedd pethau ddim yn fêl i gyd, wrth reswm, gan i ni lwyddo brifo tipyn o bobl yn y broses.

Roedd Ifor, erbyn gweld, wedi bod yn lled ganlyn efo darlithwraig ifanc o'r enw Lowri Rhyrid; perthynas *long-distance* ar ôl i'r ddau gyfarfod mewn cynhadledd yng Ngregynog y flwyddyn cynt.

Roedd hi wedi erfyn arno i drio am swydd yng Nghaerdydd er mwyn iddyn nhw gael bod yn agosach at ei gilydd. Ond, pan wnaeth o hynny, a chael y swydd, er mwyn bod efo fi – fe ddigiodd hi'n bwt ac ymddiswyddo 'am resymau personol'. Welwn i ddim bai arni, â hithau wedi cael tolc go hegar yn ei hego ar ôl cael ei gollwng mor ddiseremoni am wraig dros ddwywaith ei hoedran.

Chefais i ddim llawer o gefnogaeth gan fy nheulu na'm ffrindiau chwaith, petai'n dod i hynny.

'Ma Mal yn hen fachan ffein,' meddai Dad. 'Tamed bach yn gwrs falle, ond mae 'i galon e yn y lle iawn. A nawr ti'n mynd i'w thorri ddi.'

Nid oedd angen hynny arna i. Angen cadarnhad 'mod i wedi gwneud y peth iawn roeddwn i, felly dyma fi'n ffonio Arianrhod, fy hanner chwaer. Ond roedd honno hefyd yn llai cefnogol na'r disgwyl – yn benna, mae'n debyg, am 'mod i wedi magu digon o blwc i adael fy ngŵr, tra oedd hi yn dal i ddili-dalian mewn priodas oedd wedi chwythu'i phlwc ers blynyddoedd.

Penderfynais wedyn y baswn i'n mynd i weld Gej a Ratsh, cwpwl oedd wedi bod efo'i gilydd ers yr hydref hwnnw pan ddychwelodd Gej o Ibiza a dweud wrth Ratsh ei fod o yn ei charu hi. Roedd hynny megis breuddwyd Mills & Boon yn dod yn wir i Ratsh, gan ei bod hi eisoes mewn cariad efo Gej. Cwpwl dibriod, di-blant, oedd yn agosach nag unrhyw gwpwl y gwyddwn i amdanyn nhw.

'Sut mae Mal?' oedd un o'r pethau cynta ofynnodd Gej pan gerddais i mewn i'w tŷ trendi yn Nhreganna.

'Dwi wedi'i adal o,' atebais ar ei ben, a syrthiodd wyneb Gej nes bod ei ên o bron iawn â chyffwrdd y llawr *stripped pine*.

'Pam?' holodd Ratsh, heb drio celu ei siom yno' i. Dyna'r drafferth efo cyplau perffaith – maen nhw'n disgwyl i bawb fod mor wynfydedig o ddedwydd â nhw. Naill ai hynny neu maen nhw'n annioddefol o hunanfodlon ac yn ymdrybaeddu yn y sicrwydd y byddan nhw'n dal efo'i gilydd pan fydd pob cwpwl arall wedi hen wahanu.

'*Middle-aged crisis*,' meddai Gej yn nawddoglyd, fel petai o flynyddoedd yn iau na mi yn hytrach nag ychydig fisoedd yn hŷn.

'A deud y gwir, dwi wedi'i adal o am Ifor,' atebais, gan gael pleser milain o weld y sioc ar eu hwynebau.

'Ond mae Ifor yn caru'n selog,' meddai Gej o'r diwedd. 'Efo Lowri Rhyrid. Tiwtor yn yr Adran Gymraeg. *Blue Stocking*. Siwtio fo i'r dim – dau boffin efo'i gilydd.'

'Wel, tydyn nhw ddim yn canlyn rŵan,' atebais innau'n siarp, cyn ychwanegu'n bitw: 'A beth bynnag, prin ei bod hi'n *Blue Stocking* â hitha'n ddim ond tiwtor.'

'Ifanc 'di hi, dyna pam. Mi fydd hi'n ddarlithwraig gyda hyn.'

'Ti i weld yn gwbod lot fawr amdani hi,' meddwn i.

Cochodd Gej, a cheisiodd Ratsh wneud jôc o'r peth trwy ddweud:

'Ma hi'n dipyn o bishyn, tydi Gej?'

'Pishyn a hanner, ddeudwn i,' cytunodd Gej, fymryn yn rhy eiddgar. Edrychodd Ratsh yn gam arno. 'Reit debyg i Ratsh, deud gwir.'

'Tal, tena, tywyll,' medda hitha – y bitsh iddi.

Aeth ei geiriau i'r byw. Ni ellid fy nisgrifio i drwy ddefnyddio un o'r ansoddeiriau rheini. Mi ges fy nisgrifio un tro fel *'Flame-haired voluptuous beauty'* yn y *Wales on Sunday* ar ôl helynt y lluniau noeth, ond mi oedd y rhacsyn hwnnw wedi disgrifio degau o ferched digon cyffredin yr olwg yn yr un modd. A beth bynnag, gair neis am 'llond ei chroen' ydi *voluptuous* yn aml, heb feddu ar yr un soffistigeiddrwydd syml â 'tal, tena, tywyll'.

'Dim patsh arnach chdi ers talwm,' meddai Ratsh wrth weld y poen yn fy llygaid, gan wneud pethau'n waeth efo'i chompliment lletchwith.

'Be amdana i rŵan?' gofynnais yn bathetig, yn crafu am gompliments gan ddau hen ffrind oedd fel petaen nhw'n mynd allan o'u ffordd i'm rhoi yn fy lle.

'Mae hi'n lot iau na ti,' meddai Gej. 'Felly cer yn ôl at Mal, Al, cyn i ti wneud ffŵl ohonat ti dy hun.'

Petai Gej heb ddweud hynny, heb fy mychanu i yn y fath fodd, hwyrach y baswn i wedi ailfeddwl. Ond go brin. Roeddwn i wedi dod mor bell â hyn a doedd yna ddim troi'n ôl rŵan.

'Dwn i be ddiawl ydi o i chi beth bynnag!' ffrwydrais. 'Prin dwi'n eich gweld chi o un pen y flwyddyn i'r llall. Dach chi wedi'ch lapio yn eich cocŵn bach clyd, yn eich bywyd bach twt, yn eich tŷ bach chwaethus. Popeth yn ei le, a phawb arall yn eu priodasa bach dedwydd. Heblaw amdanoch chi, wrth gwrs, achos dach *chi* uwchlaw priodi. Mae'ch cariad *chi* uwchlaw hynny. A hwyrach mai chi sy'n iawn, achos *mae* priodasa yn betha sy'n dueddol o chwalu, a dyna be sy wedi digwydd i 'mhriodas i a Mal. Mae'n *wir* ddrwg gen i'ch siomi chi, am feiddio'ch atgoffa chi mor fregus ydi perthynas ddynol, ond dyna fo, mae o'n medru digwydd i'r cypla mwya cadarn. Felly gwatsiwch chi eich hunain – hwyrach mai chi fydd nesa!'

Roeddwn i allan o wynt erbyn diwedd fy sbîl sarcastig, a Gej a Ratsh yn rhythu arna i mewn syndod a braw cegagored fel cymeriadau mewn comic. Gwyddwn 'mod i wedi mynd yn rhy bell ac yn llawer rhy bersonol, ond roedd o'n werth chweil dim ond er mwyn torri'u cribau hunangyfiawn.

'Ym, gymri di baned?' gofynnodd Gej o'r diwedd.

'Sgen ti'm byd cryfach?' gofynnais innau. 'Dwi'n meddwl 'mod i angen un ar ôl yr araith fach yna.'

'Ti'n haeddu un, beth bynnag!' meddai Ratsh gan roi chwerthiniad bach nerfus.

'*Trebles all round* dwi'n meddwl,' meddai Gej, a mynd trwodd i'r gegin, gan 'y ngadael i a Ratsh yn sefyllian yn chwithig yn y stafell fyw.

'Sorri am hynna,' meddwn i. 'Toedd gen i ddim hawl...'

'Oedd tad, roedd gen ti berffaith hawl. Dy gefnogi di ddylian ni fod yn 'i neud, ddim dy feirniadu di.'

Yn union, teimlwn fel ateb, ond wnes i ddim. Mi ddylwn i fod wedi troi ar fy sawdl a cherdded allan ar ôl gwylltio, efo'r boddhad o wybod mai fi oedd wedi cael y gair olaf. Ond wnes i ddim. Fedrwn i ddim. Roedd Gej a Ratsh yn hen, hen ffrindiau – yn rhan o'r Criw slawer dydd. Ac er gwaetha'r ymddieithrio anochel dros y blynyddoedd, roeddan nhw'n rhan rhy bwysig o fy hanes i'w hysgymuno o 'mywyd i'n llwyr.

Roedd Mal yn gandryll a dagreuol am yn ail, yn fy ngalw i'n bob enw dan haul un funud, yna'r funud wedyn yn erfyn arna i fynd adra. Mi fedrwn i gymryd y gweiddi a'r galw enwau, ond nid yr wylo diurddas, yn enwedig yn ei ddiod. A'r peth gwaetha oedd ei fod o'n fy ffonio i ar adegau annaearol yn nhŷ 'nhad, lle'r oeddwn i'n dal i aros ar y pryd, gan fwydro pen hwnnw pan nad oeddwn i yno, neu'n gadael negeseuon ffwndrus ar y peiriant ateb.

'Ro'n i wedi gobeithio bod y dyddie o orfod delio 'da dy brobleme carwriaethol di drosodd ers blynydde,' meddai Dad. Tynnu 'nghoes i oedd o, ond roedd gen i gywilydd yr un fath am greu gymaint o strach iddo yn ei henaint. Gan nad oedd modd dal pen rheswm efo Mal ac yntau yn y fath stad, doedd gen i ddim dewis yn y diwedd ond bygwth ei riportio fo i'r heddlu petai o'n dal i 'mhlagio i.

Mi gefais i lonydd ganddo fo ar ôl hynny, ond yna mi ddaeth Cadi ar y ffôn, yn gynddeiriog 'mod i wedi meiddio bygwth yr heddlu ar ei thad.

'Sut fedrat ti neud hynny i Dad? Chdi sy di 'i adal o, cofia! Felly, sut ddiawl wyt ti'n disgwyl i'r cradur ymateb? Mae o 'di torri'i galon, a'r cwbwl fedri di 'i neud ydi sathru arni'n waeth trwy fygwth *injunction* arno fo!'

'Toedd na'm sens i'w gael ganddo fo, Cadi...'

'Sens? Ti'n un dda yn siarad am sens! Pa sens sy 'na mewn gadal dy ŵr ar ôl ugian mlynadd am ryw foi oeddach chdi'n arfar 'i ffansïo ers talwm?'

'Mae o'n fwy na ffansïo, Cadi...'

'O, yndi, wrth gwrs ei fod o! Pwy dach chi'n feddwl ydach chi – *Romeo and Juliet*? Wel, paid â twyllo dy hun – dach chi'n rhy hen o beth coblyn i ddechra arni. Ond paid ti â meddwl bod Dad *past it* chwaith, achos tydi o ddim. Mi ath o â Iola Elan allan am bryd o fwyd y noson o'r blaen...' Oedodd Cadi, yn disgwyl am fy ymateb.

'Iola Elan, Glynu fel Gelan, ti'n feddwl?' gofynnais. Iola Elan, y *divorcee* lawen oedd yn sgut am ddynion – neu am Mal o leia. Roeddwn i wedi sylwi arni'n gwneud llgada llo arno fo o'r blaen, a fynta'n gwadu ei fod o wedi sylwi arni hi'n trio tynnu ei sylw.

'Be sy Mam – ti'n genfigennus?'

'Nacdw. Ddim isio i dy dad neud ffŵl ohono fo'i hun ydw i, dyna'r cwbl...' Tewais, gan wybod beth fyddai ymateb Cadi.

'Mwy o ffŵl nag wyt ti wedi 'i neud ohono fo'n barod, ti'n feddwl? Mae'r cradur yn haeddu tipyn o hwyl ar ôl cael ei lusgo trwy'r holl gachu 'ma efo chdi! Hwyrach nad Iola Elan ydi'r *catch* gora gaiff o, ond o leia mi gaiff o dipyn o laff efo hi, sy'n fwy nag y cafodd o efo chdi!'

'Tydi hynna ddim yn deg!' protestiais, ond roedd Cadi eisoes wedi rhoi'r ffôn i lawr ar ôl saethu ei hergyd olaf.

Ffoniais Sam wedyn yn ei fflat yn Llundain, gan adael neges efo un o'i gyd-fyfyrwyr yn gofyn iddo fy ffonio fi'n ôl gynted â phosib. Yna, ffoniais yn ôl i ddweud nad oedd dim byd drastig wedi digwydd, rhag ofn i Sam gael braw. Dim byd gwaeth na theulu'n chwalu a thynnu'i gilydd yn griau, beth bynnag.

Ffoniodd Sam y noson honno. Roedd o wedi bod yn trafod cleifion seiciatryddol drwy'r dydd – rhai ohonyn nhw'n ymddangos yn hollol gall a normal medda fo, nes i un peth bach wneud i chi sylweddoli eu bod nhw'n honco bost mewn gwirionedd. Wedyn, dyma fo'n gofyn sut roeddwn i, a'i fod o wedi bod yn poeni amdana i. Od fel mae caredigrwydd yn medru gwneud i rywun grio yn llawer mwy na cherydd.

'Mam, ti'n dal yna?'

'Yndw,' atebais mewn llais crynedig. 'Sorri am grio. Arnach chdi mae'r bai am fod mor ffeind.'

'Ma Cadi 'di rhoi llond ceg i chdi, dwi'n cymryd?'

'Yndi. A deud wrtha i bod dy dad wedi dechra potsian efo Iola Elan. Ydi hynny'n wir?'

'Potsian *being the operative word*,' atebodd. 'Cynllwyn i dy neud ti'n genfigennus, ddeudwn i.'

'Ydi Iola Elan yn gwbod hynny?'

'Go brin. Mae'n siŵr bod y graduras yn meddwl ei bod hi wedi cael bachiad go-lew yn Dad.'

'Hwyrach ei bod hi.'

'Paid â bod yn wirion! Sgen Dad ddim diddordeb ynddi, siŵr iawn. A hyd yn oed tasa ganddo fo, be ydi o i chdi?'

'Am 'mod i'n poeni amdano fo. Ella bod hyn yn swnio'n rhagrithiol, ond mae o'n haeddu gwell na'r blydi Iola Elan 'na...'

'Unrhyw reswm arall?' Y seiciatrydd oedd yn holi rŵan, nid fy mab.

'Dwi'm yn lecio'r ffaith ei fod o wedi dechra mynd allan efo rhywun arall mor fuan ar ôl i mi adal. Un funud roedd o'n crio a gweiddi arna i ar y ffôn, a'r funud nesa mae o'n mynd allan efo hen hoedan fel'na...'

'Fel y deudis i Mam, dim ond gneud hynny i ddial arnach chdi mae o. A hyd y gwela i, mae o'n llwyddo. Wyt ti'n dal i'w garu o?'

'Yndw, am wn i. Er ma ryw berthynas *love-hate* fuo gan dy dad a fi erioed.'

'Fel y rhan fwya o gypla priod, ddeudwn i. Pam wnest ti 'i adal o, 'ta?'

'Achos 'mod i mewn cariad efo Ifor.'

'Dos amdani felly. A dyro'r gora i boeni am Dad. Mi fydd o'n iawn.'

'Ti'n meddwl?'

'Dwi'n gwbod. Mae o'n ddyn cry, yr hen go. Yn ddigon cry i fyw hebddach chdi, ac yn ddigon cry hefyd i dy gymryd di'n ôl, tasach chdi'n newid dy feddwl.'

'Diolch, Sam...' Dechreuodd fy llais dorri eto. 'Well i mi fynd rŵan. Nos da... Garu di...'

Fedrwn i ddim dod oddi ar y ffôn yn ddigon buan, gymaint oedd fy ysfa i feichio crio dros bob man. Crio dros Mal, dros Sam, dros Cadi, dros Dad, drosta i fy hunan, dros Ifor, dros bawb oedd wedi bod yn ddigon anlwcus i ddod yn agos ata i erioed.

Pan ffoniodd Ifor y noson honno, roeddwn i'n dal i deimlo'n ddigalon a hunandosturiol, yn gwrando ar ganu gwlad a slochian gwin coch o flaen tanllwyth o dân yn y stydi. Roedd Dad wedi mynd i gyfarfod yn y Cynulliad, ac am 'whisgi bach', neu ddau, neu dri, i'r bar wedyn cyn dod adra mewn tacsi tua hanner nos,neu hwyrach.

Defod newydd oedd hon a ddechreuwyd rai misoedd ar ôl i Mam farw. Petai o wedi gwneud hynny â hithau'n dal yn fyw, mi fasa hi wedi rhoi llond ceg iddo fo am ddod adra mor hwyr, gan ddweud ei fod o'n llawer rhy hen i ryw *high life* felly. Hwyrach y basa Dad wedi mynd ar gyfeiliorn flynyddoedd yn ôl oni bai bod Mam yno i gadw'i draed o ar y ddaear.

'Wyt ti'n iawn? Rwyt ti'n swnio braidd yn isel,' medda Ifor.

'Wedi bod yn siarad efo'r plant ydw i.'

'Plant?' Swniai Ifor mewn penbleth am eiliad, cyn sylweddoli am bwy roeddwn i'n sôn. 'O, Sam a Cadi. Sut maen nhw?'

'Cadi'n gas a Sam yn glên. Rhai petha byth yn newid.'

'A Mal?'

'Mae o'n well erbyn hyn.' Soniais i'r un gair am Iola Elan. Toeddwn i ddim am i Ifor wybod y medrai Mal ddod o hyd i ddynes arall mor sydyn.

'Da iawn. Gwranda, Al. Hwyrach ei bod hi'n rhy fuan i drafod pethau fel hyn, ond, ym... wyt ti wedi ystyried y posibilrwydd o symud i fyw ata i?'

Tagais ar lymaid o win, nes i hwnnw sbrencian dros fy nillad, a thros y mat o Dwrci o flaen y grât. Mi fasai Dad yn falch o weld 'y nghefn i â minnau wedi bod yn gymaint o niwsans iddo ers i mi ddod i aros ato.

'Alys?'

'Dwi'n dal yma. Sorri – meddwl o'n i...'

'A?'

'Wel, dwn i'm... ac eto, dwn i'm pam lai... dan ni'n nabod ein gilydd yn ddigon da, am wn i...'

'Gwranda, Alys – gofyn i ti symud i mewn ata i fel cymar ydw i, nid fel stiwdant i rannu fflat...'

'Dwi'n dallt hynny. Ella mai hynny sy'n 'y nychryn i...'

'Be wyt ti'n feddwl?'

'Dwi'm yn gwbod... ma 'na rwbath mor derfynol mewn symud i mewn at rywun...'

'Rwyt ti'n gwneud iddo fe swnio fel dedfryd o garchar neu glefyd marwol...'

Chwarddais yn chwithig wrth glywed yr hoelen yn cael ei tharo ar ei phen.

'Alys? Rwyt ti o ddifri ynglŷn â'n perthynas ni, on'd wyt ti?'

'Wrth gwrs 'y mod i! Jyst 'mod i isio cal 'y ngwynt ata i... Newydd adal Mal ydw i...'

'Felly dwyt ti ddim am symud i mewn ata i?' Roedd tôn ei lais yn codi ofn arna i. Tôn oeraidd a awgrymai: *Os nad wyt ti am symud i mewn, yna anghofia'r holl beth. Popeth neu ddim. Wna i ddim setlo am lai.* Nid fel Ifor o gwbl.

'Yndw,' atebais yn frysiog. Doeddwn i ddim am adael iddo lithro trwy 'nwylo am yr eilwaith. 'Ar un amod...'

'Beth?'

'Mod i'n cael fy llofft fy hun...'

'Pam?'

'Rhag ofn y byddan ni isio cysgu ar wahân weithia... Er mwyn cael rhywfaint o breifatrwydd... Dwi'n siŵr y basa llawar mwy o bobl yn cyd-fyw'n hapus tasa ganddyn nhw lofftydd ar wahân... Iawn?'

Meddyliodd Ifor am sbel cyn ateb.

'Iawn,' medda fo o'r diwedd. 'Digon teg. Mae hynny'n gwneud synnwyr, am wn i.'

Erbyn y Nadolig roeddwn i wedi symud i mewn at Ifor yn Llandaf. Roedd 'nhad, fel y tybiais, yn ddigon hapus i gael gwared ohona i, yn enwedig gan fod y wraig weddw drws nesa ond un wedi dechrau dod draw i'w weld o, a'i wâdd o am bryd o fwyd ambell noson. *Blydi gold-digger*, meddyliais, er na fedrwn i ddannod hynny iddo dan yr amgylchiadau.

Treuliais y Nadolig hwnnw efo Ifor. Dim ond y ddau ohonan ni. Roedd Dad wedi dewis cael cinio efo'i gymdoges, gan fynnu nad oedd o isio bod yn gwsberen rhyngo i ac Ifor. Roedd Sam a Cadi wedi mynd adra at Mal.

Ffoniais ar ôl brecwast er mwyn dymuno Nadolig Llawen iddyn nhw, er y bu bron i mi â rhoi'r ffôn i lawr pan atebodd Mal. Sgwrs digon lletchwith fu rhyngon ni, fel y gellid disgwyl, ond o leia fe lwyddon ni fod yn sifil efo'n gilydd.

'Mae'n ddrwg gen i nad ydw i yna heddiw,' meddwn i'n chwithig, gan deimlo y dylwn i gynnig rhyw fath o ymddiheuriad.

'Mae'n iawn,' atebodd Mal, a thôn ei lais yn niwtral. 'Mae Mei a Michelle wedi'n gwâdd ni draw am ginio.' Ei frawd a'i chwaer yng nghyfraith yn gefn iddo mewn argyfwng.

'O, chwara teg iddyn nhw. Michelle sy'n gneud y bwyd?'

'Hi a Iola. Er, Iola'n cwcio a Michelle yn slochian sieri fydd hi, ma siŵr.'

'O, ydi Iola'n mynd hefyd?' *Ddaru'r ast yna ddim gwastraffu unrhyw amser yn cael ei thraed dan y bwrdd*, meddyliais.

'Yndi. Hi a Iolo.' Mab Iola.

'Mi gewch chi hwyl felly.' Roedd y geiriau'n swnio'n sarcastig er nad oeddwn i wedi bwriadu hynny.

'Gwell hwyl nag y basa'r tri ohonan ni'n 'i gael adra hebddach chdi,' atebodd Mal, a'r edliw yn trywanu 'nghalon. 'Mae Cadi'n rhy brysur i ddŵad at y ffôn, ond ma Sam yma rŵan isio gair efo chdi. Nadolig Llawen...'

'Ac i chditha.' Ond roedd Mal wedi mynd, gan 'y ngadael i'n agos iawn at ddagrau trwy gydol y sgwrs efo Sam. Ac fel arfer, roedd caredigrwydd Sam yn brathu 'nghydwybod i'n waeth na'r ffaith bod Cadi wedi dewis peidio siarad â mi.

Achlysur teuluol fu'r Nadolig i mi ers blynyddoedd lawer. Achlysur hectig, hapus o wario'n wirion ar anrhegion a bwyd a diod i ddechrau arni, yna addurno'r tŷ a'r goeden a pharatoi gwledd. Gloddest a chyfeddach, gwylio teledu gwael a diodda dŵr poeth a chamdreuliad; teimlo'n ddiog a swrth trwy'r dydd a methu cysgu'r nos.

Achlysur a blymiai ar ôl pinacl diwrnod Dolig ei hun i syrffed o fyw'n fras.

Nadolig tawel, cymedrol, dideledu gefais i gydag Ifor. Agor ein hanrhegion yn y gwely, mwynhau cinio blasus o ffesant a photelaid o *Chateau-Neuf-du-Pape,* mynd am dro hamddenol, hir i lawr at y bae, yna'n ôl adre i ddarllen o flaen y tân, gan ddyfynnu ambell bwt difyr i'n gilydd o dro i dro.

Teimlwn yn gynnes braf, â swigod o lawenydd yn byrlymu tu mewn i mi, er i ambell un gael eu byrstio gan bigiadau o gydwybod. Yna'n ôl i'r gwely – gwely Ifor. Oherwydd, er i mi fynnu cael fy llofft fy hun, dim ond fel ystafell newid y defnyddiwyd hi ers i mi symud i mewn.

Rai misoedd yn ddiweddarach, ychydig ar ôl i'r *decree absolut* ddod trwodd, gofynnodd Ifor i mi ei briodi. Panig llwyr. Tydi pobl sy newydd adael un briodas ddim yn dymuno neidio ar eu pennau i briodas arall os ydyn nhw'n gall. Doeddwn i ddim yn ffan mawr o briodasau beth bynnag, a phe bawn i wedi cael fy ffordd go brin y baswn i wedi priodi Mal – neu o leia mi faswn i wedi mynnu cael priodas heb fod mor fawreddog.

4.

Y NG NGWESTY Carreg Brân, Llanfairpwll, y gwnes i a Mal gyfarfod gynta, pan aethon ni ar daith efo'n sioe clybiau. Mi ddaeth o ata i yn y bar ar ôl y sioe a chynnig prynu diod i mi – ac i weddill y criw hefyd, er mai arna i roedd o'n sbio efo'i lygaid brown. Llygaid pefriog, caredig. A fan'no buon ni tan oriau mân y bore yn yfed a siarad a chwerthin.

'Wsti be, dwi'n teimlo fel tasan ni'n nabod ein gilydd ers blynyddoedd,' medda fo ar un pwynt. Hen ystrydeb, ond un ddaru gyffwrdd 'y nghalon i serch hynny. A dwi'n cofio sbio ar ei aeliau fo o bob dim – aeliau siapus tywyll – a meddwl: *Fedra i ddim gadael i ddyn efo aeliau mor ddel fynd trwy 'nwylo i...*

Ar ôl bod yng nghwmni stiwdants ac actorion gyhyd, roedd Mal fel chwa o awyr iach: yn gymeriad â'i draed yn gadarn ar y ddaear ond eto'n hwyl bod efo fo. Yn sicr, roedd yr hen ddywediad *opposites attract* yn wir yn ein hachos ni, ac roedd Mal wedi cael ei ddenu ata i yn rhannol am 'mod i mor wahanol i'r genod eraill roedd o wedi bod efo nhw: genod trin gwallt, ysgrifenyddesau – y math o genod sy'n dal i fod â thedi bêrs ar eu gwlâu a sy'n licio anfon a derbyn cardiau San Ffolant, â'u pennau nhw'n llawn candi fflos a ffrogiau priodas.

Ac wrth gwrs, mi oedd o'n andros o bishyn hefyd, sy bob amser yn help, ta waeth be ddywed rhai pobl mai rhywbeth arwynebol, di-bwys ydi harddwch.

'Tydi o ddim dy deip di chwaith,' medda un o'r cast y noson honno yn Carreg Brân ar ôl i mi ddweud wrthi 'mod i wedi cytuno mynd am ddêt efo Mal. Menna Pennant, un o hoelion wyth *Pobol y Cwm* ers blynyddoedd maith bellach, ac wedi twchu yn y ffordd ddiog, hunanfodlon yna sy gan sêr operâu sebon a fu yno'n rhy hir.

Ffansïo Mal ei hun roedd hi, roeddwn i'n medru deud.

'Be 'di 'nheip i, 'lly?'

'Dwn i'm. Rhywun mwy arti, am wn i.'

'Dwi'n licio bob math o ddynion, nid jyst rhai arti.'

'Ond be am Ifor?'

'Be amdano fo?'

'Ro'n i'n meddwl eich bod chi'ch dau yn eitem.'

'Nacdan. Dim ond ffrindia fuon ni erioed.'

'O,' medda hi fel llo.

'Be ti'n feddwl, 'O'?' gofynnais. 'O na! Be ti wedi bod yn ddeud wrth Mal?'

Roeddwn i wedi sylwi arni'n sleifio i fyny ato fo wrth y bar, gan giglan yn wirion a sibrwd yn ei glust o.

'Dim ond sôn wrth basio nes i!'

Sôn wrth basio, myn diân i! Roeddwn i ar biga wedyn – yn disgwyl am fy nghyfle i gael siarad efo Mal ar ei ben ei hun.

'Malu cachu oedd Menna, sti,' meddwn i wrtho o'r diwedd. 'Am Ifor. Does na'm byd rhyngthon ni, a fuo 'na rioed chwaith – ddim go-iawn.'

'Rheini 'di'r rhai mwya peryg fel arfar,' meddai Mal dan wenu, 'Y rhai na fu erioed yn gariadon go-iawn.'

Dyna pryd y sylweddolais i ei fod o'n graff hefyd, nid jyst yn gês clên efo gwynab del.

'Dy ffansïo di ma hi, dyna pam ddeudodd hi hynna.'

'Pwy – Menna?'

'Ia. Hi â'i blydi llwy bren.'

'Dipyn o bishyn 'fyd,' medda fo wrth edrych draw i'w chyfeiriad, gan beri i'r cenfigen godi fel bustl tu mewn i mi. 'Tasach chdi ddim yma i'w rhoi hi yn y shêd, wrth gwrs.'

'Flattery will get you everywhere,' medda fi.

Ond doedd hynny ddim yn hollol wir chwaith, gan na wnes i ei wâdd o i fy stafell yn y gwesty y noson honno. Roeddwn i isio i'n perthynas ni bara mwy na noson.

Flynyddoedd yn ddiweddarach, mi ddeudodd Mal nad oedd o'n dal wedi fy 'sysio i allan' yn llwyr, ond bod hynny'n un o'r pethau roedd o'n ei licio amdana i. Y dirgelwch yn dal i gadw ei ddiddordeb yno' i'n fyw. Ond, er i mi deimlo 'mod i'n ei nabod o'n dda mewn cymhariaeth, wnes i erioed ddiflasu arno fo chwaith. Teimlo fel ei dagu fo droeon efallai, ond erioed yn *bored*. O leia, mi lwyddon ni osgoi disgyn i'r trap difaterwch a diflastod trwy ffraeo digon efo'n gilydd.

Yn rhannol oherwydd Mal felly, roedd y daith honno efo cwmni Ad Hoc yn un o gyfnodau hapusa 'mywyd i, a buan yr anghofiais i am Ifor wrth i mi luchio fy hun i'r gwaith a'r chwarae caled sy'n rhan mor hanfodol o fywyd actorion ar y lôn. A, bois bach, mi gawson ni hwyl. Hwyl ar actio a hwyl cyffredinol, derbyniad gwresog ym mhob man, *ac* adolygiadau da.

Roeddwn i'n cael *buzz* go-iawn wrth actio, yn enwedig mewn dramâu doniol, gan fod gwneud i bobl chwerthin yn deimlad gwirioneddol gwerth chweil. Doedd ryfedd felly bod y criw i gyd mewn hwyliau da ar ôl pob perfformiad, yn feddw ar adrenalin hyd yn oed cyn i ni fynd at y bar, ac yn llawer rhy *high* i fynd i'n gwlâu tan berfeddion.

Iawn pan ydach chi'n ifanc ac yn rhydd, ond ddim mor rhwydd pan ydach chi'n hŷn efo teulu a chyfrifoldebau. Tydi'r un stamina ddim gennych chi bryd hynny, a hyd yn oed pan fyddwch chi'n cael ambell noson fawr, rydach chi'n siŵr o deimlo fel brechdan y diwrnod wedyn.

'Tydi o ddim yn *economically viable* fatha gwaith teledu,' meddai Mal pan gefais i wâdd i fynd ar daith efo'r un cwmni flynyddoedd wedyn pan oedd y plant yn fân. Mr Dyn Busnas ei hun, efo'i gwmni carafanau llewyrchus. Busnes roedd o wedi'i sefydlu ar y cyd efo'i frawd, Mei, ar ôl i Michelle ennill ffortiwn un noson yn yr Empire Bingo, a Mal wedi'u darbwyllo i fuddsoddi'r arian mewn busnes yn hytrach na'i sbydu o i gyd ar rwtsh *nouveau riche*.

'Dim bod ots am hynny os ti wir isio'i neud o, ond mi fasa'n rhaid i chdi dalu rhywun i edrach ar ôl y plant tra bo ti i ffwrdd.'

'Be am dy fam?'

'Ma Mam yn gwarchod digon fel mae hi. Be am dy fam di?'

'Fasach chdi ddim isio Mam yma dan draed.' Gan wybod yn iawn na fasai Mam yn cytuno i warchod beth bynnag.

'Fasa'r plant yn medru mynd ati hi.' Ac yntau hefyd yn gwybod yn iawn na fasa hi'n gwneud. 'Be am Michelle?'

'Michelle?'

'Mi fasa'n rhaid i chdi'i thalu hi wrth gwrs, a dyna dy gyflog di wedi mynd yn barod.'

Pentyrru euogrwydd arna i cyn i mi gael cyfle i feddwl am y peth yn iawn. Dwn i ddim ai dyna oedd ei fwriad, ond gwrthod y cyfle wnes i beth bynnag. *Diolch yn fawr am y gwahoddiad. Mi faswn i wrth fy modd pe medrwn ei dderbyn, ond yn anffodus, oherwydd cyfrifoldebau teuluol ac ati bydd yn rhaid i mi wrthod y tro yma...*

A'r tro nesa, a'r tro wedyn, nes bod pobl yn laru gofyn i mi yn y diwedd. Nid beio Mal rydw i. Nid yn llwyr beth bynnag. Mi ddylwn i fod wedi mynd a'i adael o a'r plant i ffendio drostyn nhw'u hunain am sbel. Rhoi 'ngyrfa actio yn gynta yn hytrach na gadael i bethau lithro fel y gwnes i.

Wedi'r cyfan, mi aeth Mal i'r ffair garafanau a chartrefi symudol honno ar gyrion Las Vegas heb feddwl ddwywaith am fy ngadael i a'r plant ar ôl. Ond felly gwelwch chi – merched, a mamau'n enwedig, byth a hefyd yn teimlo'n euog ynglŷn â rhywbeth, tra bo dynion yn aml yn ymddwyn fel petaen nhw wedi cael *by-pass* cydwybod.

Er hynny, roedd Mal yn un digon hael yn y bôn, fel y tro hwnnw y talodd o i mi a'r plant fynd i Ithaca am bythefnos lle'r oedd fy rhieni yn aros efo ffrindiau oedd yn cynnal cwrs Cymraeg yno dros yr haf. Roedd o'n rhy brysur i fynd â ni ar wyliau yr adeg honno o'r flwyddyn, ac yn teimlo nad oedd hi'n iawn i ni ddiodda oherwydd hynny.

Roedd Ithaca yn dref hyfryd, a phob man yn union fel roedd Ifor wedi ei ddisgrifio: y campws braf â'i bensaernïaeth yn gymysgedd o'r traddodiadol a'r cyfoes; y llynnoedd a'r parciau hyfryd yn y wlad o amgylch; y rhaeadrau a'r ceunentydd trawiadol. Ond er bod gan y dref ryw swyn arbennig i mi oherwydd ei chysylltiadau ag Ifor, rhyw brofiad digon pruddglwyfus oedd bod yno hebddo.

Un diwrnod, magais ddigon o blwc i guro ar ddrws cartref ei rieni, ond roedd y tŷ'n wag. Bu bron i mi â neidio allan o 'nghroen pan ymddangosodd hen wreigan o du ôl i lwyn a gofyn am bwy roeddwn i'n chwilio.

'Gwyneth Stone?' gofynnais yn obeithiol, gan wybod ar yr un pryd nad oedd hon oedd mam Ifor. Roedd hi'n llawer rhy hen yn un peth. Os nad oedd hi'n nain iddo…

'Oh no, dear. They've gone away for the summer vacation. They go away every summer. They've got a little summer house up in Maine. They won't be back till early fall...'

'Thank you. I'm a friend of Ifor's, you see, from Wales, and I just thought...'

'A friend of Ivor's did you say? From Wales? You came all the way from Wales to visit Ivor and he's not here?' Edrychodd yr hen wreigan arna i'n dosturiol.

'Well, no...'

'That's too bad. Ivor's in Boston right now, or maybe in Maine with his folks...'

'Actually, I think he's in Wales.' Roedd yna dderyn bach wedi dweud wrtha i bod Ifor wedi cael ei weld yng Nghaerdydd yn ddiweddar, er nad oedd y diawl bach wedi trafferthu cysylltu â mi – na finna wedi mynd allan o fy ffordd i drio cael gafael arno fo, petai'n dod i hynny.

'In Wales?' Crychodd aeliau'r hen wreigan mewn penbleth. 'So what are you doing looking for him here?'

'I didn't come here to visit Ifor,' meddwn i, gan wybod mai dim ond cymhlethu mwy ar bethau roeddwn i trwy ymhelaethu. 'I'm staying here in Ithaca with my parents...'

'Your parents? Your parents live in Ithaca?'

'No.' Wyddwn i ddim sut yn y byd y gallwn i ddod â'r sgwrs wallgo yma i ben heb fod yn hollol anghwrtais a'i heglu hi oddi yno. Ond yna daeth gwraig arall tipyn iau o gyfeiriad yr ardd gefn a gafael ym mraich yr hen wreigan.

'Mother! What are you doing in Mrs Stone's garden again?'

'Feeding the cat, dear.'

'But there is no...' Ysgwydodd merch yr hen wreigan ei phen mewn anobaith cyn taflu 'Excuse us,' cwta i'm cyfeiriad ac arwain ei mam i ffwrdd.

39

Dechreuodd yr hen wreigan brotestio, gan fynnu ei bod hi wrthi'n cael sgwrs ddifyr efo un o ffrindiau 'Ivor' o Gymru, ond dywedodd ei merch wrthi am beidio â bod yn wirion.

'*She was probably just selling something, mother, you know that,*' meddai, cyn agor giât yn y ffens rhwng y ddwy ardd a gwthio'i mam o'i blaen, a honno'n dal i daeru.

Am bitsh bowld! Rhag ei chywilydd hi'n trin ei mam mewn modd mor nawddoglyd ar ôl fy anwybyddu i bron yn llwyr. Teimlais fel gweiddi ar ei hôl '*mod* i'n ffrind i Ifor o Gymru er mwyn gweld gwep y jadan yn disgyn, ond faint callach faswn i mewn gwirionedd? Go brin y byddai iot o ddiddordeb gan berson fel yna beth bynnag, er y byddai'n siŵr o ffalsio ac ymddiheuro'n llaes, gan roi'r bai ar ei mam ffwndrus am y gamddealltwriaeth.

Yr hen wreigan druan. Faswn i byth yn meiddio trin fy mam i fel yna, ond y peth digalon oedd y medrwn ddychmygu Cadi yn fy nhrin i felly. Hyd yn oed yn ddeuddeg oed, â minnau yn fy neugeiniau cynnar, roedd hi eisoes yn dueddol o 'nhrin i fel hen groc ffwndrus.

'Awn ni'n dwy i gartra hen bobl efo'n gilydd,' oedd cynllun fy hanner chwaer Arianrhod. 'A mi gewn ni ista yn y *conservatory* bob nos yn smocio ac yfed jin.'

'Ond ti'm yn smocio, a dwi mond yn smocio weithia.'

'Dwi'n bwriadu dechra pan dwi'n hen. *Grow old disgracefully.*'

'Ti wedi dechra gneud hynny'n barod,' medda fi, dwtsh yn eiddigeddus. Yn ôl yn fy ieuenctid ffôl roeddwn i'n arfer poeni weithiau 'mod i'n ymddwyn yn rhy wyllt, ond ar ôl i mi briodi a chael plant roeddwn i'n poeni 'mod i'n ymddwyn yn rhy blydi parchus o beth wmbreth.

Roedd Arianrhod wedi bod yn cael affêr ers rhai blynyddoedd efo'i ffrind Glenys, gwraig briod arall. Ac i wneud pethau'n waeth, fe âi Arianrhod ac Alun a Glenys a

Dafydd allan am ddiod neu bryd o fwyd efo'i gilydd yn rheolaidd, â'u gwŷr yn hollol ddi-glem ynglŷn â charwriaeth gyfrinachol eu gwragedd.

Duw a ŵyr sut y basen nhw'n ymateb petaen nhw'n dod i wybod y gwir. Roedd y peth yn ddigon o sioc i mi heb sôn amdanyn nhw, â minnau bob amser wedi ystyried fy hun yn berson eangfrydig yn y pethau hyn.

Y sioc fwya oedd mai *Arianrhod* oedd yn gwneud y fath beth. Arianrhod, fy hanner chwaer barchus a briododd Alun (cydweithiwr iddi yn y Cyngor Sir) yn 24, a chael 2.2 o blant cyn ei bod hi'n 30. Y fi oedd yr un wyllt erioed, a dyma hi wedi achub y blaen arna i trwy gael *Illicit Lesbian Love Affair,* fel y basai'r *News of the World* yn siŵr o'i alw fo tasan nhw'n cael eu bachau budron ar y stori. *Sordid Sex Trysts of Former Plaid Cymru MP's Staid Step-Daughter!*

Mi chwaraeais innau efo'r syniad o gael affêr hefyd, ond mewn cymuned fechan, lle'r oedd pawb yn nabod pawb ac yn gwybod hanes ei gilydd, mi fasa hynny wedi bod yn amhosib. Toeddwn i ddim yn ffansïo neb yno beth bynnag. A hyd yn oed petai yna rywun wedi mynd â 'mryd i, go brin y basa unrhyw un yn ddigon dewr neu wirion i botsian efo gwraig dyn caled a grymus fel Mal Marshall.

Un noson, yn fuan ar ôl i ni ddychwelyd adre i Sir Fôn ar ôl bod yn Ithaca, bu bron i mi ag achosi anaf corfforol difrifol i Mal. Roedd y plant wedi mynd i'w gwlâu, a Mal yn un o'i hwyliau drwg, yn bwdlyd ac yn biwis fel y byddai o weithiau ar ôl diwrnod gwael yn y gwaith.

'Be sy, Mal?' gofynnais o'r diwedd. Roedd o'n mynd ar fy nerfau i yn fflicio'r teledu o un sianel i'r llall, a minna'n amlwg yn mynd ar ei nerfau o yn smwddio yn ôl y ffordd roedd o'n gwgu i gyfeiriad yr hetar wrth i hwnnw hisian stêm o bryd i'w gilydd.

'Dim byd. Pam – be sy'n bod arnach chdi?'

'Dim byd.'

'Dyna fo, 'ta.'

'Gwranda Mal, dos i'r stafall arall i sbio ar y teledu os wyt ti mewn mŵd drwg. Sgen i'm mynadd efo chdi pan wyt ti fel hyn.'

'Dos di.'

'Dwi'n smwddio.'

'A dwi inna'n trio relacsio. I be ti'sio smwddio rŵan eniwe, a drw'r dydd gen ti i nèud hynny?'

'Am eu bod nhw wedi bod ar y lein drw'r dydd.' Triais swnio'n ddidaro a rhesymol, ond codai fy llais efo pob gair.

'Pam ti'sio cal gwarad arna i eniwe?'

'Be ti'n feddwl?'

'Isio fi allan o'r stafall wt ti, dwi'n gwbod, rhag ofn i'r ffôn ganu.'

'Am be ti'n mwydro, Mal?'

'Paid ag actio mor ddiniwad, nei di. Dwi isio bod yma os ydi'r ffôn yn canu. Dwi isio gwrando ar dy sgwrs di a'r Ianci Dwdl Dandi ddiân 'na.'

'Am be ti'n sôn?' Gan wybod yn iawn ei fod o'n sôn am Ifor. Dechreuodd y 'nghalon gyflymu.

'Ffoniodd Ifor Stone pan oddach chdi i ffwr. Isio dy gwarfod di, medda fo – y pen bach iddo fo…'

'Pa bryd oedd hyn?'

'Pan oddach chdi'n galifantio yn Mericia.'

'Pam ma rŵan ti'n deutha fi?'

'O'n i'n meddwl bod y peth yn reit ddoniol, deud gwir – "eironig" chwedl chditha – ei fod o yn fa'ma a chditha yn fan'cw. Y ddau ohonach chi yn rhy blydi anobeithiol i drefnu dêt yn yr un blydi wlad! Sôn am *star-crossed lovers*, myn uffar i!'

'Ddaru o adal rhif? Ddeudodd o y basa fo'n ffonio'n ôl?'

'Dcudis i y basa chdi'n 'i ffonio fo. Yr unig broblem ydi 'mod i wedi colli'r rhif.' Roedd llygaid Mal yn fy herio, a sylweddolais nad oedd o wedi trafferthu cymryd y rhif yn y lle cynta..

Snapiodd rhywbeth tu mewn i mi wedyn, fel lastig catapwlt yn cael ei dynnu'n ôl yn rhy bell, a bron heb feddwl mi dynnais y plwg o'r wal a thaflu'r hetar smwddio at Mal.

'Ffycin hel!' Neidiodd Mal ar ei draed mewn poen. 'Be ti'n drio'i neud, yr ast wirion – fy lladd i?'

'Ia,' atebais, a'r eiliad honno roeddwn i'n ei feddwl o. 'Dwi'n dy gasáu di, Mal.'

Cythrodd Mal amdana i â'i ddwrn yn yr awyr, ond daliais fy nhir.

'Tyd yn d'laen, 'ta, hitia fi.' Yn ei herian o i wneud, yn ei ewyllysio i wneud, er mwyn i mi gael cerdded o gwmpas y pentra efo clamp o lygad ddu a thynnu enw da'r Cynghorydd Mal Marshall trwy'r baw. Hwyrach mai dyna oedd yn mynd trwy'i feddwl yntau hefyd, achos ddaru o ddim 'y nharo i, dim ond dal i sgyrnygu arna i fel ci cynddeiriog.

'Well i mi nôl Burneaze i chdi dwi'n meddwl.' Roedd yna wrym coch yn dechrau ymledu ar dalcen Mal lle'r oedd ymyl yr haearn poeth wedi'i daro.

'Mae o'n dechra llosgi 'fyd,' medda fo, yn dechrau dofi erbyn hyn. 'I be oddach chdi isio gneud hyn'na?'

'Ti'n gwbod yn iawn pam.'

'Mond tynnu arnach chdi o'n i. Ti'm yn meddwl 'mod i'n jelys o'r coc oen 'na go-iawn, nag wyt? Paid â fflatro dy hun, Alys.'

'Pam bod ots gen ti os ydi o'n 'y ffonio i neu beidio, 'ta?'

'Pwy ddeudodd bod ots gen i?'

Teimlais fy hun yn dechrau gwylltio eto.

'Tydi'r ots gen i os ti'n siarad efo fo bob nos, cyn bellad mai fo sy'n talu'r bil…'

'Pam felly oeddach chdi'n cega amdano fo'n ffonio yn y lle cynta?'

'Mond tynnu dy goes di o'n i! Fedri di'm cymyd jôc, dyna dy broblem di.'

Ysai fy nwylo am gydio yn yr hetar a phannu pen Mal yn bonsh maip. Roedd o wedi gwneud hyn o'r blaen – wedi mynd allan o'i ffordd i 'nghorddi i am fod rhywbeth yn ei gorddi o, yna ar ôl i mi golli 'nhymer mi fasa fo'n troi'r sefyllfa ar ei phen a dweud mai dim ond cellwair oedd o wedi'r cyfan, ac i be'r oeddwn i isio mynd i gymaint o stêm am ddim byd?

'*Mental cruelty* ydi peth fel hyn,' meddwn i, gan wybod yn iawn beth fydda ei ymateb o.

'A *physical cruelty* ydi lluchio hetar smwddio at rywun,' medda fo, *Mr Predictable* ei hun.

'Oddach chdi'n gofyn amdani!' gwaeddais arno a cherdded allan o'r stafell ac i fyny'r grisiau i'r llofft cyn i bethau fynd ddim blerach. Clepiais y drws ar fy ôl, gan obeithio y byddai Mal yn cael y neges ac yn mynd i gysgu i'r llofft sbâr neu i un o'r carafanau. A pheth arall oedd yn fy ngwylltio i oedd gwybod y basa fo'n medru syrthio i gysgu ar ei union tra baswn i'n dal i stilio am hydoedd.

Pwniais y gobennydd mewn rhwystredigaeth. Pam nad oedd Mal yn medru bod yn fwy gonest efo fi? Pe bai o'n dweud ar ei ben ei fod o'n genfigennus o Ifor mi faswn i'n medru hanner maddau iddo fo, ond yn lle hynny roedd yn rhaid iddo fo ymddwyn mewn modd dan din annifyr oedd yn ddigon i wylltio sant… Daliais 'y ngwynt wrth ei glywed yn dod i fyny'r grisiau yn ara deg ac yn sefyll y tu allan i ddrws y llofft.

'Al?' Ceisiodd Mal sibrwd, ond daliai i swnio fel tarw wedi'i ffrwyno.

'Be ti'sio?'

'Ga i ddŵad i mewn?'

'I be? Dwi'm isio ffraeo dim mwy.'

'Na finna chwaith.'

Daeth Mal i mewn yn ei *boxer shorts* Captain America, anrheg Nadolig gan Cadi y flwyddyn cynt.

'Sorri,' medda fo, gan godi'r cwilt oddi arna i wrth iddo ddod i mewn i'r gwely.

'Am be, am ddwyn y cwilt?'

'Naci, ond sorri am hynny 'fyd. Mi gadwa i chdi'n gynnas.' Lapiodd ei freichiau a'i goesau praff amdana i.

'Ti'n 'y mygu i!' protestiais, gan ei bwnio yn ei fol.

'Sorri.' Llaciodd ei afael rhyw fymryn. Dwn i ddim pa un oedd waetha – Mal yn pigo ffrae, neu Mal yn trio gwneud iawn am y peth wedyn. 'Dwn i'm be ddaeth drosta i gynna. Dwi'n gwbod nad wyt ti'n lecio cael dy herian…'

'Roedd hynna'n fwy na jyst herian!' arthiais arno. Hyd yn oed rŵan, ac yntau'n gwneud ei orau glas i ymddiheuro, roedd o'n gwrthod syrthio ar ei fai yn llwyr.

'Mi ges i sgwrs reit ddifyr efo Ifor a deud y gwir…'

'Am be 'lly?' Ceisiais gadw fy llais mor fflat â phosib, rhag ofn i Mal synhwyro gormod o chwilfrydedd ynddo.

'Hyn a'r llall. Bywyd yn gyffredinol. Prodi, cael plant a ballu…'

'Tydi Ifor erioed yn bwriadu prodi?' Ceisiais swnio'n ddihid, ond tybiwn y gallai Mal deimlo 'nghalon i'n curo'n gyflymach o dan ei bawen fawr.

'Mae o'n chwara efo'r syniad medda fo. Tydi o ddim isio mynd i'w fedd yn 'hen lanc dietifedd' medda fo. 'Be sy o'i le ar hynny?' medda fi. 'Taswn i'n cael fy amsar yn ôl, faswn i'm yn prodi! Cnebrwng cwd ydi prodas.'

'Ddeudist ti mo hynny wrtho fo!'

'Naddo siŵr! Dyna chdi eto, yn methu cymryd jôc! Pwy sy isio pen rhyddid beth bynnag? Dwi angan rhywun i gadw trefn arna i a 'nghadw i ar flaena 'nhraed.'

Brathais fy nhafod rhag ei ateb yn ôl, ond o leia roedd hynny'n well na chael fy nghyhuddo o fod yn hen *nag*. Hen air bach hyll y bydd dynion yn ei ddefnyddio bob tro y bydd dynas yn cega efo nhw neu'n gofyn iddyn nhw wneud rhywbeth nad ydyn nhw isio'i wneud.

Hwyrach mai dyna pam y deudis i 'Ocê, 'ta' pan ofynnodd Mal i mi y noson honno, yn ei ffordd ramantus arferol, 'Ti'sio bonc?', yn hytrach na thraethu fy sbîl arferol am ddynion yn meddwl eu bod nhw'n medru datrys pob ffrae efo rhyw.

Hwyrach mai dyna pam y penderfynais i beidio â chysylltu efo Ifor wedi'r cyfan, am y basai gwneud hynny yn fwy o strach na'i werth.

Os ydach chi'n berson o gymeriad cryf eich hun, tydi hi ddim bob amser yn syniad da priodi person sy'r un mor styfnig a phenderfynol â chi. *Battle of wits* fydd hi wedyn yn aml. Dau berson isio'u ffordd eu hunain a'r naill yn gwrthod ildio i'r llall.

Ond ildio wnes i pan ofynnodd Mal i mi ei briodi. Nid nad oeddwn i isio bod efo fo, jyst nad oeddwn i'n gweld pwynt mynd i gymaint o gost er mwyn un diwrnod. Mae hi wastad wedi bod yn ddirgelwch i mi pam bod pobl yn fodlon mynd drwy'r holl straen a'r strach o gael priodas fawr – y trefnu, y gwario, y ffraeo a'r pechu anochel – yn enwedig pan fo gymaint o briodasau'n chwalu beth bynnag.

Ddaru Mam ddim rhoi pwysau arnon ni i briodi – i'r gwrthwyneb – ond roedd hi'n amlwg bod Dad yn ei weld o fel cyfle 'PR' euraidd, a hynny mae'n debyg ddaru droi'r fantol o blaid y briodas.

Doedd fawr o syndod felly fod y briodas honno fel rhywbeth allan o *The Godfather* – yn achlysur cymdeithasol o fri efo'r trimins i gyd: bron i ddau gant o westeion, ffrog briodas o les antîc na welodd olau dydd ar ôl y diwrnod mawr, a gwledd briodas mewn gwesty crand yn edrych dros y Fenai.

Roedd gen i dair morwyn: Arianrhod yn *matron of honour*, fy nith, Elin, yn forwyn fach, a Meinwen – yn wen ond ymhell o fod yn fain – yn ei ffrog borffor.

'Dwi'n edrach fatha ffrigin Eddie Izzard!' meddai, gan studio'i hun yn y drych tra oeddan ni'n dwy yn rhannu ffag slei yn y toiledau rhwng cyrsiau bwyd. Mi fasa pobl wedi meddwl 'mod i'n goman ar y naw yn smocio wrth y prif fwrdd ar ddiwrnod fy mhriodas, er nad oedd neb yn edliw i Mal am wneud.

'Pam ti'n meddwl y gofynnis i chdi fod yn forwyn i mi?' atebais innau, gan wybod yn iawn nad oedd ots gan Meinwen am ei golwg. Neu o leia roedd hi wedi perswadio ei hun a phawb arall nad oedd ots ganddi.

Hi oedd un o fy ffrindiau gorau bryd hynny. Dyna'r prif reswm y gofynnais iddi fod yn forwyn briodas i mi. Hynny a'r ffaith nad oedd hi'n mynd i ddwyn y leimleit oddi arna i. Roedd yn rhaid i mi ofyn i Arianrhod, wrth gwrs, gan ei bod hi'n chwaer i mi; ond, fel arall, faswn i byth yn dewis hogan rhy ddel i fod yn forwyn briodas.

Aeth y parti nos ymlaen tan berfeddion, efo Geraint Løvgreen a'r Enw Da yn denu pawb i ddawnsio efo'u miwsig bywiog, a Gej, y *DJ*, yn chwarae amrywiaeth ysbrydoledig o ganeuon yn amrywio o Tony ac Aloma i Catatonia, o Edward H. i Tom Jones.

Ond yna, fel sy'n digwydd weithiau yn sgil gormod o gyffro ac alcohol, newidiodd fy mŵd yn ddirybudd. Roedd hi'n ddau o'r gloch y bore a dim siâp symud ar y rafins oedd ar ôl.

'Tyd i'r gwely!' erfyniais ar Mal, ond roedd hwnnw'n cael amser wrth ei fodd, a fo, hyd y gwelwn i, oedd yn cadw'r parti i fynd efo'i forio canu allan-o-diwn.

'Dan i'm isio mynd i'r gwely heno siŵr iawn!' meddai ar dop ei lais. 'Chewn ni'm noson fel heno byth eto! Ein noson ni ydi hon, Al, felly mwynha hi!'

Roedd pobl yn chwerthin o'n cwmpas ni. Yn chwerthin ar ben Mal am fynnu aros ar ei draed ar noson ei briodas, yn chwerthin am nad oedd priodi wedi dofi'r un iot arno, ac yn chwerthin ar fy mhen i am feddwl y medrwn i ei ddofi yn y lle cynta. Roeddwn i'n teimlo'n rêl ffŵl.

'Wel mae'n rhaid i mi fynd i 'ngwely. Dwi wedi ymlâdd.'

'Ti'sio fi ddod efo chdi?' gofynnodd Mal, gan sbio i fyny arna i efo'i lygaid hogyn bach diniwad, ond 'mod i'n ei nabod o'n ddigon da i wybod mai cynnig dros ysgwydd oedd o.

Teimlwn fel gweiddi arno: *Wrth gwrs 'mod i isio i chdi ddod efo fi! Tydw i ddim isio dioddaf'r anfri o fynd i 'ngwely ar 'y mhen fy hun ar noson 'y mhriodas!* Ond fedrwn i ddim yn hawdd iawn efo cynulleidfa yn gwylio ac yn gwrando.

'Na, mae'n iawn. Aros di fa'ma. Chei di'm llawar o hwyl arna i heno beth bynnag – dwi wedi blino gormod!'

Chwarddodd pawb, yn falch o weld yr hen Alys yn gwneud jôc o'r sefyllfa yn hytrach na throi tu min. Ond, ar ôl i mi daro sws nos da swta ar gorun Mal a throi ar fy sawdl i adael, daliais lygaid Meinwen yn edrych arna i'n llawn tosturi.

Os oes yna un peth sy'n gas gen i, tosturi ydi hwnnw. Mae'n iawn i *mi* deimlo tosturi tuag at rywun arall, neu hyd yn oed deimlo'n hunandosturiol, ond hen brofiad bychanol ydi bod yn wrthrych tosturi. Yn enwedig pan fo pobl yn teimlo bechod drostach chi am fod eich gŵr chi'n gymaint o goc oen ansensitif.

Felly yn hytrach na mynd yn syth i'r *Honeymoon Suite* i bwdu, mi es i at y dderbynfa a gofyn i'r rheolwr – oedd yn amlwg yn gyndyn o fynd i'w wely cyn pawb arall – ym mha stafell roedd Mr Ifor Stone yn aros. Edrychodd y rheolwr yn amheus arna i.

'Chi ydi'r *bride*, ia?'

'Ia. A Mr Stone ydi 'nghefndar i sy 'di dŵad yr holl ffordd o America ar gyfar y brodas. Mae o'n gorfod gadal ben bora fory, felly mi faswn i'n lecio deud ta-ta wrtho fo cyn iddo fo adal.' Swniai'r stori'n amheus i 'nghlustiau i hyd yn oed.

'Dach chi'n siŵr nad isio mynd i'w lofft o i chwara rhyw dricia arno fo rydach chi?' Gwenodd y rheolwr yn ffel.

'I be faswn i isio gneud rwbath felly?'

'Ym, dim byd. Dyna be ma rhai o'r bobl ma'n ei neud mewn prodasa, wchi – chwara rhyw dricia gwirion ar ei gilydd. *Childish* iawn, tasach chi'n gofyn i fi...'

'Ydach chi am ddeud wrtha i, 'ta?' torrais ar ei draws yn ddiamynedd.

'Be? O ia, rhif stafall Mr Stone.' Edrychodd y rheolwr yn ffwndrus trwy'r llyfr gwesteion. '*Number twenty three...*'

'Diolch yn fawr.' Cyn cyrraedd y grisiau, trois tuag ato drachefn. 'Mi faswn i'n ddiolchgar tasach chi'n cadw hyn i chi'ch hun. Dach chi'n siŵr o neud, dwi'n gwbod, â chitha'n ddyn proffesiynol...'

'Na, na, ddeuda i ddim byd siŵr iawn...'

Cerddais i fyny'r grisiau yn araf a hunanfeddiannol, yn ymwybodol o lygaid y rheolwr yn fy nilyn, gan ddychmygu fy hun fel Bette Davis ar ryw berwyl drwg mewn melodrama du a gwyn. Roedd yr adrenalin a'r alcohol yn dal i bwmpio trwy 'ngwythiennau, ac ar ôl cyrraedd y landin cynta dechreuais redeg, gan chwilio'n daer am stafell 23.

O'r diwedd fe ddes o hyd iddi: stafell wedi'i gwthio i ben draw'r coridor ar y llawr ucha. Un o'r stafelloedd rhata wrth ei golwg hi, ond yn dipyn drutach nag aros mewn llety Gwely a Brecwast yn y dre serch hynny. Oedais y tu allan am eiliad i gael fy ngwynt ataf cyn mentro curo ar y drws. Ond yna, ar ôl i guriad fy nghalon ddistewi, clywais sŵn yn dod oddi mewn… sŵn cyfarwydd ac anweddus… sŵn a wnaeth i mi gochi er nad oedd neb arall o gwmpas… Sŵn pobl yn caru.

Roedd hyn yn waeth o lawer na Mal yn gwrthod dod i'r gwely yr un pryd â mi. Roedd hyn fel cael fy mradychu, er y gwyddwn fod hynny'n afresymol gan mai *fi* oedd wedi priodi ac nid Ifor. Dim ond *caru* efo rhywun arall roedd o, er bod y ffaith ei fod o'n gwneud hynny ar noson 'y mhriodas i yn brifo. Petai o wedi aros tipyn cyn neidio i'r gwely efo pwy bynnag oedd yr hoedan fach yna yn ei stafell, hwyrach y basa fo wedi cael y fraint o garu efo'r briodferch ei hun!

Syrthiais yn swp yn erbyn y wal a llithro i'r llawr, gan adael i'r dagrau a'r sneips ymuno â'r staeniau gwin a chwrw a gwirod oedd eisoes wedi difetha fy ffrog. Ac yn fy niod a'm digalondid, roeddwn i'n dal i ddychmygu fy hun fel rhyw Bette Davis drasig efo ffrydiau duon yn llifo o'm llygaid enfawr, clwyfedig a…

'Be ddiawl ti'n da fa'ma?'

Sobrodd y sioc fi yn y fan a'r lle. Safai Meinwen uwch fy mhen, â'i mascara hithau wedi'i smwtsio dros ei bochau wigs. Eddie Izzard! Roedd y tebygrwydd yn drawiadol unwaith i rywun sylwi arno. Meiriolodd yr alcohol tu mewn i mi drachefn a dechreuais bwffian chwerthin. Eddie Izzard a Bette Davis! Am ddwy ddel!

'Shshsh!' sibrydodd Meinwen yn filain, gan gydio yn fy ngarddyrnau a cheisio fy halio ar 'y nhraed. 'Ti'm isio cal dy ddal yn fa'ma!'

'Am be?' gofynnais yn uchel. 'Tydyn nhw'm yn clywad beth bynnag. Ma nhw'n rhy brysur yn boncio!'

'Cau dy geg nei di'r bitsh wirion!' hisiodd Meinwen.

'Ro'n i'n ama ella y basach chdi'n gneud rwbath hurt fel hyn. Rŵan, tyd o'ma!'

Llwyddodd Meinwen i 'nghodi yr eildro, gan ddal ei gafael yn fy mraich a fy martsio i lawr i'r *honeymoon suite*, lle trodd hi arna i o ddifri.

'Be ddiân oddach chdi'n neud tu allan i stafall Ifor?' mynnodd, gan fynd ati i ferwi'r tegell a thywallt cynnwys dau gwdyn bach o goffi i ddwy gwpan.

'Sut ti'n gwbod mai stafall Ifor odd hi?'

'Achos 'mod i'n cysgu yn y stafall drws nesa! Wnes ti'm curo ar 'i ddrws o, gobeithio?'

'Naddo. Glywis i nhw wrthi cyn i mi neud hynny. Pwy sy efo fo beth bynnag?'

Oedodd Meinwen cyn ateb. 'Sara.'

'Sara Rheidol?' Dechreuodd fy ngwaed ferwi'n ffyrnicach na'r tegell. 'To'n i'm isio gwadd yr ast fach yna i'r parti nos yn y lle cynta. Jyst dy fod ti wedi mynnu!'

'Ma hi newydd gal *nervous breakdown*,' meddai Eddie Izzard, a'i gwefusau mawr piws yn gadael ôl minlliw ffiaidd ar wefus y gwpan.

'*Nervous breakdown* o ddiân! Jyst isio sylw oedd hi, y *prima donna* fach dan din iddi! Ma hi'n gwybod yn iawn mor agos o'n i ac Ifor. Ma hi 'di gneud hyn ar bwrpas, a duw a ŵyr be ddaeth dros ei ben *o*!' Pwniais y gobennydd mewn rhwystredigaeth.

'Dial arnach chdi, ella?'

'Fasa fo'm yn gneud hynny!' Ac eto, roedd yn well gen i feddwl hynny na gorfod ystyried y posibilrwydd ei fod o wedi cael ei ddenu gan sarff fach wenwynig fel Sara Rheidol.

'Gwranda, Alys. Tydi hyn ddim yn ddechra da iawn i dy brodas di – chdi'n crio am fod cyn-gariad i chdi yn y gwely efo dynas arall…'

'Ond...' ceisiais dorri ar ei thraws, ond pwyntiodd Meinwen fys rhybuddiol ata i.

'Jyst cofia dy fod ti'n briod efo Mal rŵan, ac y dylia chdi anghofio am Ifor Stone. Mi ddaru Mal dro gwael â chdi heno, dwi'n gwbod, ond toedd o ddim yn 'i feddwl o. Jyst mwynhau'i hun oedd o. Mae o'n meddwl y byd ohonach chdi, Alys, felly dyro gyfla iddo fo.'

Mi ddechreuais grio wedyn. Wylo'n dawel i ddechrau, cyn i'r dagrau ddechrau powlio go-iawn, yna beichio crio fel petai 'nghalon i wedi toddi'n afon enfawr oedd wedi gorlifo ei glannau. Crio a chrio nes i bob teimlad gael ei wasgu ohona i, â breichiau Meinwen yn dynn amdana i, yn wyn a meddal a mamol. Crio fy hun i drwmgwsg. A hynny ar noson fy mhriodas.

Roedd y wawr yn torri pan faglodd Mal i mewn i'r stafell a 'ngweld i a Meinwen yn gorwedd yn anymwybodol ar y gwely a golwg wedi'n tynnu trwy'r drain arnon ni'n dwy. Ceisiodd yn ofer dynnu'r cwilt oddi tanon ni er mwyn ei lapio droson ni, ond yn y diwedd bu'n rhaid iddo fo nôl blancedi sbâr o'r cwpwrdd, gan fynd â rhai efo fo i'r *en suite* a mynd i gysgu yn y bath.

Mi gafodd Mal fodd i fyw yn adrodd y stori dros frecwast hwyr fore trannoeth, gan wneud pawb yn glana chwerthin wrth iddo sôn amdana i a Meinwen yn cael *KO* ym mreichiau'n gilydd ar y gwely priodasol.

'Gwylia rhag i'r *tabloids* gael gafel ar y stori 'ma, Alys!' gwaeddodd Crallo, oedd wrth ei fodd yn fy atgoffa i o'r tro dwytha yr ymddangosodd fy enw i ym mhapurau'r gwter. Tad Crallo, y Parch. Gwydion George, oedd wedi 'mhriodi i a Mal y diwrnod cynt. Dyn mwyn, diwylliedig a doeth, fel y dylai pob gweinidog fod.

Teimlwn yn rhy sâl i feddwl am unrhyw atebion bachog ar y pryd, a theimlais yn salach fyth pan gerddodd Ifor i mewn i'r stafell fwyta, â'i wyneb yn welw a'i wallt yn flerach nag arfer hyd yn oed. Roeddwn i'n disgwyl gweld Sara Rheidol y tu ôl iddo, ond doedd dim sôn amdani, diolch byth. Fedrwn i ddim stumogi gweld y ddau ohonyn nhw'n gwneud rhywbeth mor glòs â bwyta brecwast efo'i gilydd. Neu'n yfed dim ond coffi du yn achos Sara, oedd yn berson llawer rhy cŵl i fwyta.

Yna, llamodd fy nghalon wrth i'r Rheolwr gerdded i mewn a mynd yn syth at fwrdd Ifor. Roedd o'n gofyn rhywbeth iddo, â golwg digon pryderus ar ei wyneb, ac Ifor yn edrych yn ôl arno mewn penbleth. Yna, edrychodd y Rheolwr draw i 'nghyfeiriad i. Gwgais arno, gan beri iddo gau ei geg yn glep, yn amlwg newydd gofio ei fod wedi gaddo peidio â sôn am fy ymholiadau yn ystod yr oriau mân. Ysgwydodd y Rheolwr ei ben ar Ifor, cystal â dweud *Anghofiwch amdano fo. Fi sy wedi camddallt.*

Ar ôl i'r Rheolwr adael â'i gynffon rhwng ei goesau, roeddwn i bron â thorri 'mol isio mynd draw i siarad efo Ifor. Gwyddwn fod Meinwen yn cadw golwg arna i, ond doedd dim ots gen i amdani hi. Mal oedd y maen tramgwydd. Ond yna fe gododd Mal a dweud ei fod o am fynd allan i'r ardd am smôc, a minnau, am unwaith, yn falch o'i weld o'n codi oddi wrth y bwrdd heb aros i mi orffen.

Ryw hanner munud ar ôl i Mal adael, codais a cherdded draw at fwrdd Ifor, gan osgoi dal llygad Meinwen. Eisteddais yn y gadair gyferbyn ag o fel bod fy nghefn at weddill y stafell.

'Be odd Basil Fawlty isio?' gofynnais, gan drio swnio'n ffwrdd-â-hi.

'Poeni 'mod i wedi colli awyren i America. Rhywun wedi dweud wrtho…'

'Camgymeriad ma raid…'

'Mae'n rhaid. Beth bynnag, sut ydych chi bore 'ma, Mrs Marshall? A sut deimlad yw bod yn briod?'

'Dwi'm yn siŵr. Tydi'r brodas heb gael ei chonsiwmeitio eto,' atebais innau. 'Gest ti lawer mwy o hwyl arni neithiwr, o be glywis i.'

Chwarddodd Ifor. Chwerthiniad bach hanner chwithig, hanner wrth ei fodd, fel y bydd dynion wrth gael eu pryfocio am eu campau rhywiol.

'Lle glywest ti hynny, 'te, Alys?'

'Rhyw dderyn bach ddeudodd wrtha i. Sara Rheidol o bawb! Wyddwn i ddim ei bod hi dy deip di.'

'Twyt ti ddim yn gwybod llawer am rywioldeb dynion felly,' medda fo. Bu bron i mi â gwthio'i blatiad o saim budur yn ei wyneb smyg.

'Dwi'n gwbod digon i sylweddoli nad ydi dynion yn rhy ffysi pan mae'n dod i ryw. Mi gysgan nhw efo unrhyw beth os ydi o ar blât iddyn nhw!'

'Nawr, nawr, Alys,' twt-twtiodd Ifor. 'Dyw hynny ddim yn deg. Mae Sara'n ferch ddeniadol…'

'Os ti'n lecio genod sy'n edrach fatha llafna pymthag oed!' atebais yn faleisus. 'Ond yn fwy na hynny, ma hi'n un o'r bobl mwya annifyr i mi'u cyfarfod yn fy myw!'

'Gwranda, Alys,' meddai Ifor, yn dechrau difrifoli. 'Dyw e ddim fel petawn i ar fin ei phriodi hi na dim byd felly. *One night stand* oedd e, dyna i gyd.'

'Fatha'n *one night stands* ni, ti'n feddwl?' gofynnais, ond edrychodd Ifor dros fy ysgwydd yn rhybuddiol. Trois innau, mewn pryd i weld Mal yn cerdded i'n cyfeiriad. Daeth i sefyll y tu ôl i mi, gan osod ei ddwylo'n feddiannol ar fy sgwyddau. Drewai o fwg sigarét, ac oglau drannoeth y drin yn codi pwys arna i.

'Bore da, Mr Stone,' medda Mal yn chwareus. 'Neu

prynhawn da, ddylwn i ddeud. Ro'n i'n meddwl y basach chdi wedi codi'n gynt â chditha wedi mynd i dy wely mor fuan. Jibar! 'Taswn i'n hen lanc fatha chdi 'swn i 'di aros ar 'y nhraed drw'r nos…'

'Nest ti hynny beth bynnag!' atebais innau fel siot, gan sylwi'n rhy hwyr mai tynnu 'nghoes i oedd Mal, a'i fod o'n gwenu ac wrth ei fodd am i mi frathu'r abwyd unwaith eto.

'O, Alys bach!' meddai, gan ffluwchio 'ngwallt i. 'Ti mor *serious*! Ti'n gweld rŵan pam dwi 'di 'phrodi hi, Ifor – dwi'n cal gymint o hwyl yn ei weindio hi i fyny!'

Ac i ffwrdd â fo, wedi fy 'weindio fi i fyny' eto fyth. Fel cosb am sleifio i siarad efo Ifor unwaith roedd o wedi troi ei gefn, synnwn i damaid, er y basa fo'n siŵr o wadu hynny a 'nghyhuddo i o fod yn paranoid.

'Dyna chdi reswm da dros brodi rywun,' meddwn i wrth weld Ifor yn edrych arna i efo cymysgedd o benbleth a blydi tosturi. 'Mi fysa'n rheitiach iddo fo brynu *clockwork toy* os ydi o'n mwynhau weindio petha i fyny gymaint!'

Gwenodd Ifor a chario ymlaen i fwyta efo archwaeth awchus dyn tenau sy byth yn magu bol. Sosej, bacwn, pwdin gwaed a madarch yn sglefrio mewn melynwy, sôs coch a saim – jyst y peth i sadio'r stumog ar ôl noson fawr fel neithiwr i rai, a jyst y peth i droi stumogau eraill…

'Ti'n iawn?' holodd Ifor. 'Ti'n edrych braidd yn wyrdd'.

'Fatha'r *Incredible Hulk*? Dwi'n teimlo fatha fo beth bynnag,' atebais. Ac mi oeddwn i. Yn teimlo fel chwyddo a ffrwydro trwy 'nillad, yn anghenfil gwyrdd o ddicter cyfiawn. Yn teimlo fel lluchio Mal trwy'r ffenest ar ei ben i'r Fenai islaw; fel crensian Sara Rheidol o dan 'y nhraed yn swp o esgyrn bregus; cyn cario Ifor i ffwrdd yn 'y mreichiau i nirfana ein gorffennol anorffenedig…

'Alys? Ti'n dŵad 'ta be?' Tarfodd llais Mal ar fy myfyrdodau.

'Ddo i rŵan,' atebais heb droi i edrych arno.

'Rhaid i ni fynd adra i bacio, sti,' meddai, yn dal i fynnu fy sylw.

'*Ddo i yn y munud*,' sgyrnygais innau.

'Wela i chdi i fyny grisia, 'ta,' meddai yntau'n siort, gan fartsio allan o'r stafell fwyta, oedd yn wag erbyn hyn heblaw amdana i ac Ifor.

'Lle rydych chi'n mynd ar eich mis mêl?' holodd Ifor, gan sychu'i blât efo darn o dôst.

'Skiathos. Dan ni'n hedfan bora fory.' Daliais i syllu arno, gan studio nodweddion ei wyneb yn eu tro: y llygaid tywyll tu ôl i'w sbectol betryal, y gwallt du blêr, y trwyn hir, y wên gam gyfareddol a'r llond ceg o ddannedd gwynion. Mor Iddewig yr olwg fel y disgwyliech weld cap bach crwn am ei gorun. Roedd ganddo fo un adra, medda fo, *yarmulke* ysgarlad oedd yn arfer perthyn i hen ewyrth iddo a fygwyd yn un o ffwrneisi nwy y Natsïaid.

'Gwranda, Ifor…' mentrais, dim ond i lais trwynol, treiddgar dorri ar fy nhraws.

'Co ti fan hyn! O'n i'n meddwl bo' ti 'di rhedeg bant a 'ngadel i dalu'r bil!'

Es yn groen gŵydd o 'nghorun i'm sawdl. Trois fy mhen â chalon drom a gweld Sara Rheidol yn sefyll y tu ôl i mi, yn cnoi afal efo'i dannedd bach wiwerog. Ddaru'r sguthan ddim sbio arna i o gwbl.

'Awydd bwyd arna i,' meddai Ifor, gan gymryd llwnc swnllyd o'i goffi i guddio'i chwithdod.

'Digon o *exercise*, t'wel – hogi'r archweth,' medda hi, gan roi winc fawr iddo. Bu bron i mi â chwydu.

'Gymri *di* frecwast, 'ta?' holais, gan wybod yn iawn be fyddai ei hymateb.

'Dim diolch, ma'r afal ma'n ddigon i mi.'

Mi fasa'r afal yna'n para iddi am oriau wrth ei golwg hi.

'Ti'n edrach yn dda,' meddwn i. 'Ti 'di rhoi chydig o bwysa dwi'n siŵr.'

Syrthiodd ei hwyneb. Wyneb llawn fel lleuad oedd yn gwbl anghymarus â'i chorff pin pric. Yn union fel lolipop.

'Ti'n meddwl?' Lledodd ei llygaid culion mewn braw.

'Dipyn bach ar dy wyneb,' daliais ymlaen i'w harteithio â gwên glên ar fy wyneb, ac Ifor, diolch byth, yn rhy ddiniwed i sylwi ar fy sadistiaeth. 'Ond fan'na ti'n rhoi pwysa bob amsar 'de? Ti 'di rhoi dipyn bach ar dy fol 'fyd. Ond ti'n edrach yn dda, wir ŵan…'

Mi fasa Meinwen wedi rhoi yfflon o lond ceg i mi petai hi'n gwybod, gan bregethu am beryglon procio niwrosis pobl a ddioddefai o afiechydon bwyta. Ond doedd dim ots gen i am y sgimpran dena. Roeddwn i wedi achub ei bywyd hi unwaith, a ches i'r un gair o ddiolch ganddi bryd hynny. Fuodd yna erioed lawer o dda rhyngon ni'n dwy beth bynnag, a rŵan ei bod hi wedi cysgu efo Ifor roeddwn i am waed yr ast. Anorecsig neu beidio.

Ac ar hynny, dyma fi'n ffarwelio ag Ifor a gadael, gyda Sara yn dynn ar fy sodlau ar ei ffordd i'r tŷ bach − naill ai i drio chwydu'r darnau bach o afal yn ei chylla neu i studio ei hun yn y drych a gweld faint o bwysau roedd hi wedi'i ennill. Galwch fi'n greulon, galwch fi'n galed, ond roedd pob gronyn o gydymdeimlad oedd gen i tuag at y wiber fach yna wedi pylu'n llwyr yn ystod yr oriau dwytha.

Roedd hi hefyd wedi cyrraedd ar y sîn pan oeddwn i ar fin cyfadde wrth Ifor 'mod i'n ei garu… A hwyrach y dylwn i fod yn ddiolchgar iddi am hynny, achos go brin y byddai Ifor wedi bod yn barod i redeg i ffwrdd efo dynes loerig oedd newydd briodi dyn a fasai wedi ei glymu o'n gadwyn o sosejys mewn chwinciad.

Nid bod hynny'n gwneud i mi ei chasáu hi, Sasa Rheidol, ddim mymryn llai.

5.

ROEDD HI'N DDIGON naturiol felly fod gen i fy amheuon ynglŷn â doethineb priodi am yr eildro. Maen nhw'n dweud bod merched, ar y cyfan, yn fwy eiddgar i briodi na dynion, ond, yn fy mhrofiad i, y dynion sy wedi bod yn awyddus.

'Pam na fedran ni jyst byw efo'n gilydd?' gofynnais i Ifor.

'Am fy mod i isio dy briodi di,' atebodd yn syml.

'Oeddach chdi isio 'mhrodi i ers talwm 'fyd?'

'Oeddwn, ond fe briodaist ti Mal.'

'Ond roeddach chdi wedi mynd yn ôl i America…'

'Efo'r bwriad o ddychwelyd i Gymru a gofyn i ti fy mhriodi i.'

'Go·iawn?' Rhythais arno'n syn.

'Go·iawn. Ar ôl i mi fynd yno mi gefais gyfle i gnoi cil dros bethau, a sylweddoli fy mod i'n dy garu di. Ond roeddwn i'n rhy hwyr bryd hynny, felly rwy'n gofyn i ti nawr – wnei di 'mhriodi i?'

'Ar un amod.'

'Ein bod ni'n cael llofftydd ar wahân?' gofynnodd efo gwên gellweirus.

'Ein bod ni'n prodi yn Las Vegas.'

'Las Vegas? Y lle mwya taci dan wyneb haul?'

'Ti rioed 'di bod yn Rhyl felly ma rhaid.'

'Las Vegas? Wyt ti o ddifri?'

'Yndw. Wyt ti?'

'Ydw. Pam lai? Las Vegas amdani felly.'

Roeddwn i'n fud gan syndod. Mae'n rhaid bod y creadur isio 'mhriodi i'n o arw os oedd o'n fodlon derbyn amod mor wirion. Bu bron i mi ag ildio a dweud wrtho mai tynnu ei goes o roeddwn i. Ond yna mi feddyliais i: na, pam ddylwn i briodi mewn rhyw gapel nad oeddwn i bron byth yn ei dywyllu, neu mewn swyddfa gofrestru ddienaid?

Roeddwn i isio priodi mewn rhywle lliwgar, gwallgo a di-chwaeth. Ac mae'n debyg bod yna ran fechan bitw ohona i isio dial ar Mal am fynd i Las Vegas hebdda i yr holl flynyddoedd yna'n ôl, er mai mynd yno ar drip busnes ddaru o.

'Fysach chdi ddim yn licio'r lle beth bynnag,' medda fo ar ôl dychwelyd. 'Mae o fatha un *amusement arcade* anfarth.'

Ond nid dyna'r pwynt. Y pwynt oedd 'mod i isio gweld y lle drosta i fy hun. Roedd gen i ryw obsesiwn efo'r Unol Daleithiau er pan oeddwn i'n blentyn; rhyw ysfa i deithio o gwmpas y wlad anferth, hudolus honno, neu o leia i ymweld â chymaint o lefydd diddorol ynddi â phosib.

Dyna ran o apêl Ifor hefyd mae'n debyg – y ffaith ei fod o'n Americanwr. Mwy o apêl na bod yn 'Fochyn Môn' fel Mal beth bynnag. Ac er nad oeddwn i am fynd allan o fy ffordd i frifo mwy ar Mal – er 'mod i'n dal i gorddi am y ffaith ei fod o wedi troi at Iola Elan am gysur mor handi – roeddwn i isio dangos iddo y medrwn i fynd i Las Vegas hebddo, ac yn fwy na hynny, y medrwn i briodi yno hefyd.

Felly dyma ni, Ifor a minna, yn Las Vegas ar drothwy ein priodas. Nid oes rhaid ei threfnu, dim ond cerdded i mewn i swyddfa neu gapel, neu hyd yn oed gael priodas *drive-thru*, a hwyrach gael *Elvis lookalike* i'n priodi, er nad ydw i am i'r briodas fod yn ormod o ffars chwaith. Rhaid cofio mai cwpwl canol oed ydan ni wedi'r cyfan, nid cwpwl ifanc mewn ffilm ramantus off-bît.

'Bechod na fysan ni'n fengach 'fyd.'

'Sorri?'

'Dwi'n teimlo braidd yn hen i'r lol yma i gyd.'

'Pa lol?'

'Prodi yn Las Vegas.'

'Dy syniad di oedd o. Ti wnaeth yr amod.'

'Ia, dwi'n gwbod, fel o'n i wiriona.'

Saib. Mae Ifor yn bwyta, a phan fo Ifor yn bwyta mae o'n pwyso'r botwm *pause* ar y byd o'i gwmpas. Stecan waedlyd mewn saws pupur efo nionod a madarch, *french fries* a blodfresych wedi'i ffrio mewn cytew. Does ond rhaid i mi edrych ar y domen o fwyd ar ei blât i deimlo cnawd fy nghluniau yn chwyddo, ond mae Ifor yn dal i fod yn denau fel styllen. Dim owns o fraster ar y diawl lwcus.

Salad archebais i. Heb ddresin na mayonnaise. Syllu yn llwglyd ar blât Ifor, fel yr arferai Dad ei wneud ers talwm ar ôl iddo fo lowcio'i fwyd ei hun cyn i bawb arall orffen. Ac yn sydyn, mae gen i hiraeth am Mal, o bawb.

'*Byta fwyd iawn, nei di, yn lle pigo ar y blydi bwyd ieir 'na! Ti'n ganol oed – ma gin ti hawl i fagu dipyn o bwysa,*' fasa hwnnw wedi'i ddweud. Dwn i ddim a fyddai ots gan Ifor chwaith, ond tydw i ddim am fentro troi'n bladras dew mor fuan ar ôl ei fachu.

'Gwranda, Ifor...'

'Mmm?' Mae yna hanner dwsin o jips ar ôl ar ei blât. Rhaid i mi drio cael sgwrs gall efo fo cyn iddo fo archebu pwdin.

'Gewn ni brodi 'nôl yng Nghymru os ti'sio... Tydi o'm ots gen i beidio prodi fa'ma, wir rŵan...'

'Rwy i wedi syrffedu braidd ar yr holl bwnc,' medda fo'n ddigyffro.

'Chdi oedd isio prodi!' chwyrnaf arno, gan edrych o 'nghwmpas i wneud yn siŵr nad oes neb yn sylwi ein bod ni ar fin cael ffrae. Dim peryg. Mae'r bwyty'n anferthol, yn dri chwarter gwag ac yn un o chwe restaurant y gwesty. Yn anferthol, heb unrhyw awyrgylch, efo *muzak* pibellog ac *air-conditioning*. Mi fasai'n well gen i fod mewn bistro bach tywyll Cymreig efo'r gwin yn llifo a phobl yn cael smocio wrth y byrddau. 'Gas gen i'r lle 'ma!'

'Dy syniad di oedd dod yma.'

'Wn i.' Mae 'mol i'n grwgnach isio bwyd a dagrau'n bygwth. 'Ond chdi wthiodd fi i neud penderfyniad, felly mi wnes i gamgymeriad...'

Daw gweinyddes efo gwên fel ceffyl â'r fwydlen bwdin at ein bwrdd, ac mae Ifor yn ei chipio oddi arni fel dyn ar ei gythlwng.

'I'll have the pecan pie with maple syrup and cream please,' medda'r bolgi cyn i'r ferch gael cyfle i orffen clirio'r bwrdd.

'I'll just have a lemon sorbet please,' meddwn i, yn llawn merthyrdod.

'One pecan pie with maple syrup and cream and one lemon sorbet,' medd y ferch, â llond ei dwylo o blatiau budron.

'Oh, fuck it! Forget the sorbet. I'll have a Death by Chocolate instead!'

Mae'r platiau'n simsanu, gan fygwth dymchwel ar y llawr wrth i'r weinyddes rythu arna i mewn syndod cyn dod ati'i hun drachefn.

'One pecan pie with maple syrup and cream and one Death by Chocolate. Coffee?'

'No thank you. To tell you the truth, this place is making me depressed and I'm gasping for a cigarette.' Does 'na ddim byd fel gwaharddiad i wneud i chi grefu am rywbeth.

'This is a non-smoking restaurant,' medd y ferch yn rhybuddiol. Rhyfedd 'mod i heb gael fy nhaflu allan am regi, petai'n dod i hynny. *'Actually, this whole building is a non-smoking zone...'*

'It's a no-soul zone as well if you ask me.'

'You want soul music? I could ask if you like...'

'Piped Marvin Gaye? No thank you. Piped Frank Sinatra is bad enough.'

Gyferbyn â mi, mae Ifor yn colli'r frwydr i gadw wyneb syth wrth iddo edrych arna i efo llygaid llawn arswyd ac edmygedd, fel yr arferai edrych arna i ers talwm, pan arferwn fod mor eofn a di-flewyn-ar-dafod.

Fe wellodd pethau am sbel ar ôl hynny, gan i mi lwyddo ymlacio a mwynhau fy hyn yn hytrach na gwatsiad fy mhwysau a phoeni 'mhen am y briodas arfaethedig. A dweud y gwir, doedd Ifor ddim wedi sôn gair am y briodas yn y cyfamser, a doeddwn i ddim wedi'i atgoffa fo yn sicr.

Ac oedd, roedd Mal yn llygad ei le, mi oedd Las Vegas fel un *amusement arcade* anferth, yn goegwych a dichwaeth; yn feicrocosm o fateroldeb America efo'i gantorion cabaret, ding-ding-ding di-baid y peiriannau slot, a'r goleuadau neon yn fflachio ddydd a nos, nos a dydd.

Fel ymhobman arall yn yr Unol Daleithiau, roedd yna bobol anhygoel o dew yn Las Vegas. Teuluoedd cyfain yn stwffio'u boliau mewn bwytai '*All You Can Eat*'. Ac ar y pegwn arall, roedd yna ferched o bob oed, echrydus o denau, gyda rhai ohonyn nhw'n edrych fel dymis siop grotésg, efo'u hwynebau plastig a'u gyddfau tyrcwn. Edrychais yn y drych un diwrnod a theimlo'n eitha bodlon efo'r hyn a welwn am y tro cynta ers hydoedd.

Ar ôl pedair noson, roedden ni wedi laru ar yr holl sioe loerig, felly dyma benderfynu codi'n pac a theithio i Barc Cenedlaethol y Grand Canyon dros y ffin ag Arizona. Yn dal heb briodi.

Roedd y Parc yn dawelach nag y byddai yn ystod misoedd poeth yr haf, pan dyrrai ymwelwyr yno yn eu miloedd. A thrwy lwc roedd yna le i ni aros yn yr El Tovar Hotel, gwesty enwoca'r Parc a godwyd yn 1905 ar rimyn y Canyon. Lle tipyn drutach i aros ynddo na'r rhelyw, ond ta waeth, roedden ni am fwynhau'r profiad bythgofiadwy hwn i'r eithaf.

Er ei bod hi'n dywyll pan gyrhaeddon ni, roedd y goleuadau ar hyd y dibyn yn·taflu llewyrch a chysgodion dros y creigiau a'r hafnau, gyda gogoniant anhygoel natur yn fy nghyfareddu, yn enwedig o'i gymharu ag ysblander artiffisial Las Vegas.

'Wsti be, Ifor?' meddwn i, yn teimlo'n reit chwil ar ôl y ddwy botelaid o win roeddan ni wedi'u hyfed efo'n swper.

'Beth?' gofynnodd yntau, gan syllu allan dros y Canyon â golwg bell yn ei lygaid.

'Mi es i Niagara Falls ers talwm, pan oedd Arianrhod yn byw yng Nghanada... Yng Nghanada y cafodd hi'i magu, sti – efo Yncl Gerallt, gŵr cynta Mam. Cymhleth, 'de?'

'Cymhleth iawn.' Dim diddordeb o gwbl. Rêl Ifor. Dim diddordeb yn y manylion bach personol ac ymddangosiadol ddibwys sy'n gwneud bywyd mor ddifyr. Ar ôl ychydig fisoedd yn ei gwmni, roedd ei ffaeleddau'n dechrau mynd ar fy nerfau yn barod. Ffaeleddau roeddwn i'n arfer eu hystyried yn annwyl ers talwm.

'Ond mi ges i andros o siom. Ddim yn y Falls eu hunain, ond yn nhre Niagara. '*Am le taci!*' medda fi wrth Arianrhod, ac mi gyhuddodd hi fi o fod yn anniolchgar! Fel tasa hi'n disgwyl i mi ddeud, "*O waw, am le anhygoel!*" Dwi'm yn deud, mi oedd y rhaeadr ei hun yn anhygoel, ond mi oedd yr holl siopa *souvenirs* a ballu yn difetha naws y lle rywsut. Ro'n i wedi disgwyl dyrnaid o *chalets* fel sy 'na yn y ffilm *Niagara*, ond fi oedd yn naïf, debyg.'

'Ie, siŵr o fod.'

Roedd yr olwg bell wedi dwysáu yn llygaid Ifor, fel petai o wedi diflannu i'w fyd bach ei hun. A dweud y gwir, dwi'm yn meddwl ei fod o wedi edrych arna i'n iawn ers i ni adael Las Vegas, neu hwyrach mai'r alcohol oedd yn fy ngwneud i'n paranoid.

'Gobeithio na cha i'r un siom yn fa'ma...' *Nac ynot tithau*, meddyliais, yn methu dallt pam bod Ifor mor gyndyn i gymryd sylw ohona i. 'Gawn ni weld fory beth bynnag. Ti'n meddwl y codwn ni'n ddigon buan i weld y wawr yn torri?'

'Mi fydda *i* wedi codi,' medda fo'n reit ffroenuchel, gan droi'n ôl at y gwesty. Triais innau gipio yn ei law wrth iddo basio, ond yn fy awydd lletchwith baglais ar draws fy nhraed fy hun nes y bu bron i mi â disgyn ar fy hyd ar lawr.

'Blydi lysh!' meddwn i, yn teimlo fel hogan ifanc wirion yn fy niod. Ond erbyn i mi sadio fy hun, roedd Ifor wedi cerdded yn ôl i'r gwesty, gan 'y ngadael i'n syllu ar ei ôl mewn penbleth a phoen.

Deffro drannoeth ar fy mhen fy hun yn y gwely, efo coblyn o gur pen. Sgil effeithiau gwin neithiwr, pan oedd gymaint o flas chwaneg arno. Mae'n rhaid mai fi yfodd y rhan fwya ohono, petai'n dod i hynny, achos dŵr dwi'n cofio'i weld yng ngwydr Ifor drwy gyda'r nos. Be oedd yn bod arno fo neithiwr, mor bell a thawedog? A lle mae o rŵan?

Efo cryn ymdrech, a chan gydio'n ofalus yn fy mhen plisgyn wy, dwi'n codi o'r gwely a mynd trwodd i'r *en suite.* Dim goleuadau *soft focus* fan hyn. Dim Ifor chwaith. Lle mae o? Tydi'r cnaf bach erioed wedi mynd i weld y wawr yn torri dros y Grand Canyon hebdda i?

Symud yn araf at y ffenest, gan grychu fy llygaid a gwingo wrth deimlo'r ordd yn pwnio yn erbyn muriau 'mhenglog. Agor y llenni a dal fy ngwynt. Mae fy llygaid yn agor led y pen, a'r dyn bach cas y tu mewn i 'mhen yn gollwng ei ordd mewn rhyfeddod. Oherwydd o 'mlaen i mae un o ryfeddodau'r byd yn ymestyn i bob cyfeiriad, wedi'i weld gymaint o weithiau mewn ffilmiau a lluniau, ond erioed fel hyn, mor agos a real ac aruthrol.

Gwisgo amdanaf mor gyflym â phosib, llnau fy nannedd a thasgu dŵr oer dros fy ngwyneb cyn rhedeg i lawr y grisiau ac allan. Gwelais gip ar Ifor drwy'r ffenest gynnau – ei silwét yn dalsyth a main yn erbyn haul y bore. A dyma fo rŵan, yn dal i sefyll a syllu fel delw, wedi'i barlysu gan yr olygfa ryfeddol o'i flaen.

Ac wrth i mi ymuno ag o i edrych allan dros y Grand Canyon dwi'n falch o ddweud mai gwefr dwi'n ei deimlo, nid siom. Mae'r sinig yno' i wedi ei daro'n fud am y tro, a fy meddwl yn ymdrechu i lyncu a threulio holl ryfeddod y lle anhygoel hwn, er mwyn ei gael ar gof a chadw am weddill fy oes. Nid yn unig yr olygfa sy'n mynd â 'ngwynt i'n llwyr, ond holl naws ac awyrgylch y lle, cochni llychlyd y creigiau a llonyddwch byw y milltiroedd ar filltiroedd o hafnau dyfnion yng ngwyneb y ddaear...

Ymbalfalaf am law Ifor wrth fy ymyl a chydio ynddi. Ond nid llaw Ifor ydi hi. Mae hon yn bawen fawr sy'n cau am fy llaw i fel maneg – fel yn y gân Elvis Presley honno oedd yn cael ei chanu gan ryw *lounge singer* eilradd y noson cyn i ni adael Las Vegas:

> *Oh I just can't stop believin',*
> *When she slips her hand in my hand,*
> *And it feels so small and helpless*
> *As my fingers fold around it like a glove.*

Cân a ganodd Mal i mi flynyddoedd maith yn ôl wrth iddo gydio yn fy llaw i, oedd mor fechan ô'i chymharu â'i law o. Mal yn chwarae'n wirion, a'i ddynwarediad o Elvis mor drybeilig o wael nes 'mod i yn fy nyblau. A dwi'n fferru wrth sylweddoli mai llaw Mal sy'n gafael yn fy llaw i rŵan – yn gwybod heb orfod troi i edrych ar ei wyneb.

Ceisio tynnu fy llaw o'i afael, ond mae ei afael o fel gelen. Lle mae Ifor? Ifor â'i ddwylo meddal. Roeddwn i'n arfer licio dwylo Mal – dwylo labrwr yn gwneud i mi deimlo'n saff. Y math o ddwylo fyddai'n troi'n ddyrnau i fy amddiffyn pe bai rhaid, y math o ddwylo sy'n dda o gwmpas y tŷ, y math o ddwylo sy'n apelio at y ddynes gyntefig y tu mewn i mi.

Ond tydw i ddim yn licio ei ddwylo fo rŵan. Ifor sy i fod efo fi rŵan, nid Mal. Ceisio tynnu fy llaw yn rhydd unwaith eto, ond mae Mal yn tynhau ei afael nes 'mod i'n gwingo mewn poen. Mewn pwl o ddicter, codaf ei law at fy ngheg a suddo 'nannedd bach miniog i'w figyrnau nes ei fod o'n tatsian mewn poen ac yn gollwng fy llaw.

Ac yna, yn yr eiliadau tyngedfennol hynny cyn i Mal ddod ato'i hun, rhedaf at ymyl y dibyn ac edrych i lawr – i lawr i lawr i lawr i grombil y ddaear – a gweld pigion o 'mywyd yn chwyrlïo a fflachio ar y creigiau fel pigion o ffilm yn cael eu taflunio ar sgrîn. Dwi'n gweiddi ar Ifor, gan wybod yn fy nghalon ei fod o wedi diflannu. Dwi isio lluchio fy hun dros y dibyn, ond fedra i ddim – mae yna ryw rym, rhyw ewyllys uwch yn fy nal i'n ôl.

Does dim amdani felly ond sefyll yma yn fy unfan, yn disgwyl i Mal ddod i 'nhywys i'n ôl i'r byd go-iawn, gan edrych yn ôl dros fy mywyd a meddwl sut ar y ddaear y des i i'r fath le yn y lle cynta, wedi plymio i bydew o rith realiti, rhywle rhwng y Nefoedd a Las Vegas.

Ail Ran

Mal a Meinwen

'WIR DDUW RŴAN, fu jyst iawn i mi gal hartan. Llyncodd Mal weddill ei whisgi ar ei ben a chydio yng ngwddw'r botel Bushmills ar y bwrdd coffi o'i flaen.

Bwrdd derw deuliw o bren tywyll a phren golau yn stribedi cyferbyniol fel croen teigr. Alys oedd wedi ei brynu: Alys â'i hoffter o bethau anghyffredin. Weithiau'n chwaethus, weithiau'n *kitsch*. Roedd y dodrefnyn hwn yn gyfuniad o'r ddau.

'Dwi'm yn synnu,' meddai Meinwen, gan ddal ei gwydr gwag hithau allan.

'Ro'n i'n dal i afa'l yn 'i llaw hi pan ddechreuis i bendwmpian, a'r peth nesa dwi'n gofio ydi'r boen ma'n saethu trwydda i a 'nghoesa i'n sgrialu o dana i... Yli, ma ôl 'i dannadd hi'n dal yna...'

Gwthiodd Mal ddwrn mawr ei law dde o dan drwyn Meinwen er mwyn iddi gael gweld olion y dannedd bach miniog ar ei figyrnau. Nodiodd hithau, yna ysgwydodd ei phen, yna nodiodd drachefn. Roedd y cyfuniad o alcohol a chynnwrf a blinder ar ôl y daith o Aber yn dechrau dweud arni. A'r hyn oedd waetha oedd gyrru heibio'r fan lle digwyddodd y ddamwain, ar y troeon cul rhwng Tal-y-llyn a Dolgellau, lle sgrialodd y car oddi ar y lôn er mwyn osgoi lorri fawr yn dod y ffordd arall.

'Yna mi agorodd hi'i llgada… led y pen, sti, ddim jyst dipyn bach fatha rywun sy newydd ddeffro… a rhythu arna i fel tasa hi'n fy nghasáu i…'

'Tydi hi ddim yn dy gasáu di, siŵr iawn…' meddai Meinwen.

'A ti'n gwbod be ofynnodd hi?'

Ysgwydodd Meinwen ei phen a phlygu ymlaen yn eiddgar i wrando.

'"*Lle ma Ifor?*' Dyna be ofynnodd hi i mi!' meddai Mal, gan gymryd llwnc arall o'i whisgi cyn cario ymlaen. 'Yna dyma hi'n dechra gweiddi '*Be ti 'di'i neud iddo fo? Be ti 'di'i neud i Ifor?*' Roedd ei llgada hi ar agor 'fyd, fatha sombi. Blydi hel, o'n i'n cachu brics, elli di fentro…'

'Breuddwydio oedd hi, ma raid.'

'Am y crinc bach yna o bawb! Fysach chdi'n disgwl iddi holi am y plant cyn holi amdano fo, bysat?'

'Dwn i'm, sti, Mal. Ma hi'n sâl, cofia.' Ddaru hi ddim sôn am gynnwrf amlwg Alys ynglŷn â gweld Ifor eto.

'Ma hynny'n wir.' Dofodd Mal, wedi ei gysuro gan ei rhesymeg. Yna dechreuodd wenu.

'Be sy mor ddoniol?'

'Jyst meddwl o'n i – rêl Alys 'de. Mynd i dop caetsh – hyd yn oed mewn côma…'

'Rêl cochan.'

'Tempar fatha matsian!'

'Gwallt coch a llgada gwyrdd.'

'*Fatal combination!*'

Tawodd y ddau, wedi eu sobri gan yr hen air *fatal* yna.

'Ti'n meddwl y daw hi trwyddi, Mein?' gofynnodd Mal ar ôl sbel o syllu ar y carped.

'Ma Alys yn hen hogan wydn, sti,' meddai Meinwen, gan osgoi ateb y cwestiwn ar ei ben. 'Ac ma'r ffaith ei bod hi 'di dod ati'i hun yn arwydd da, tydi?'

'Dwn i'm. Toedd y doctoriaid ddim mor siŵr, yn enwedig gan 'i bod hi 'di suddo'n ôl i'w choma'n syth wedyn. Ond ma'n bwysig ein bod ni'n dal i siarad wrth ei gwely hi medda nhw, gan 'i bod hi'n amlwg yn clywad rhywfaint – trio'i thynnu hi'n ôl i realiti efo lleisia cyfarwydd...'

'Mi ffonia i o gwmpas, 'lly. Ella y bysa hynny'n helpu, sti – lleisia o'r gorffennol.'

'Syniad da. Diolch ti Mein.'

'Heblaw am Ifor, wrth gwrs.'

'Pam ti'n deud hynny?'

'Ddaru o ddim dŵad i'r Aduniad wedi'r cyfan.' Nid fod yr Aduniad wedi cael ei gynnal beth bynnag, gan i Meinwen ei ganslo wedi iddi glywed am y ddamwain y prynhawn hwnnw.

'Pam?'

'Mi newidiodd o'i feddwl ar y funud ola. Tydi o heb hedfan ers *Nine Eleven* medda fo. Mae o 'di datblygu ffobia arall wrth ei golwg hi.' *A taswn i wedi ffonio Alys i roi gwybod iddi, hwyrach y basa hi wedi gyrru'n fwy gofalus...*

'Be ti'n feddwl?'

'Tydi'r cradur yn llawn ffobias? Wastad wedi bod.'

'Ddim yn llawn llathan, ti'n feddwl?'

'Mewn un ffordd ella. Ond wedyn sbia mor glyfar ydi o yn academaidd.'

'Rhyw gradur od gefis i o erioed. Duw a ŵyr be oedd Alys yn 'i weld ynddo fo.'

'Ffrindia oeddan nhw, sti.' Swniai'r celwydd golau yn nawddoglyd i'w chlustiau hi ei hun. Atebodd Mal mohoni am funud, dim ond syllu ar y llawr.

'Feddylis i rwbath ofnadwy ar ôl i Alys holi am Ifor, sti...' Ysgydwodd Mal ei ben, ei lygaid duon pantiog wedi eu hoelio ar yr un darn o garped.

Edrychodd Meinwen arno'n ddisgwylgar, yn ei ewyllysio i agor ei galon iddi.

'Feddylis i… y basa'n well gin i tasa hi'n marw na dŵad ati'i hun a 'ngadal i am… ddyn arall… Roedd gin i gwilydd 'mod i wedi meddwl y fath beth yn syth bin wedyn… Deu'tha fi – sut fath o berson sy'n meddwl rhwbath ofnadwy fel'na?'

'Person normal, ddeudwn i. Ma'n siŵr y basa'n well gan y rhan fwya o bobl tasa'u cymar nhw'n marw na'u gadal nhw am rywun arall…' *Dyna pam nad ydw i'n briod*, meddyliodd Meinwen, *faswn i'n methu diodda'r caethiwed, y cenfigen, cael fy meddiannu, yr holl boitsh o emosiynau blêr.*

'Ond ddim pan ma'n nhw ar eu gwely anga go-iawn…' Tawodd Mal yn ddisymwth, wedi yngan yr hen air *angau* yna eto.

'Paid â bod mor galad arnach chdi dy hun, Mal bach,' meddai Meinwen, gan estyn eto am y botel whisgi. Doedd hi ddim yn y mŵd i fod yn sobor heno. 'A, beth bynnag, tydi Alys ddim ar ei gwely anga.'

'Nacdi. Mi ddaw hi trwyddi. A'r peth cynta dwi'n mynd i'w neud ar ôl iddi wella'n iawn ydi bwcio gwylia i ni'n dau yn Las Vegas a'r Grand Canyon. Ti'n gwbod iddi sôn amdanyn nhw yn ei chwsg, twyt?'

'Yndw, mi ddeudist ti.'

'Ddeudis i 'fyd 'i bod hi 'di sôn am yr hogan Lowri 'na – honna ma Gej yn 'i dobio?'

'Lowri Rhyrid, ti'n feddwl?' gofynnodd Meinwen mewn rhyfeddod.

'*That's the one*! Ro'n i ar fin mynd i chwilio am rywun i ddeud wrthyn nhw bod Alys wedi deffro, pan alwodd hi fi'n ôl a gofyn i mi '*Pwy 'di Lowri Rhyrid?*' Sut ddiawl odd hi'n gwbod am honno, deud ti?'

'Ym… Rwbath yn 'i hisymwybod hi ella… wedi'n clywad ni'n siarad…' Ceisiodd Meinwen gael trefn ar ei meddyliau dryslyd, oedd erbyn hyn wedi toddi fel y talpiau rhew yn ei whisgi.

Cyn iddi gael cyfle i ymhelaethu, canodd cloch y drws, gan beri i Mal neidio o'i sedd.

'Pwy ddiawl sy 'na'r adag yma o'r nos?' meddai, er nad oedd hi'n ddim ond hanner awr wedi naw, gan godi o'i gadair a mynd i agor drws y ffrynt.

Daliai Meinwen i eistedd fel delw yn ei chadair, wedi'i syfrdanu gan eiriau Mal. Hyd yn oed yn ei choma, mae'n rhaid bod un rhan o ymennydd Alys yn dal i glywed pobol o'i chwmpas yn siarad, ond heb fedru prosesu'r hyn a glywai yn iawn... Collodd Meinwen drywydd ei meddyliau wrth i'r lleisiau nesáu: llais bas Mal a llais arall, benywaidd ond dwfn.

Yna daeth perchennog y llais i mewn i'r stafell. Dynes fronnog, foliog, mewn crys porffor llaes a legins oddi tano mewn ymgais amlwg i bwysleisio ei choesau main – heb sylweddoli bod hyn yn gwneud i'w chorff edrych yn fwy anghymesur byth; wyneb llon dan golur trwm a thoreth o wallt du potel at ei sgwyddau. Gwenodd ar Meinwen fel petai'r ddwy yn hen ffrindiau.

'Haia. Iola dwi. Iola Elan,' cyflwynodd ei hun cyn i Mal gael cyfle i wneud hynny, gan estyn llaw fodrwyog i Meinwen. 'Ffrind Alys w't ti, medda Mal.'

'Ia. Meinwen Jôs. Fi odd morwyn brodas Alys...'

'Duwcs, ia wir? Rhyfadd bod ni heb gwarfod o'r blaen 'lly. Ma'n siŵr dy fod ti wedi bod yma droeon yn gweld Alys?'

'Ym, naddo â deud y gwir... ddim cyn iddi gal ei tharo'n wael beth bynnag...' Daeth chwithdod mawr dros Meinwen, ynghyd ag euogrwydd wrth iddi deimlo llygaid Mal arni yn disgwyl am ateb – am esboniad neu esgus. Penderfynodd mai dweud y gwir fyddai orau.

'Roedd Alys a finna wedi ymddieithrio dros y blynyddoedd... wedi tyfu ar wahân...' eglurodd wrth weld yr olwg ddi-glem ar wyneb Iola. 'Y ddwy ohonan ni wedi mynd ein ffyrdd ein hunain... fy mai i'n benna...'

'Fatha cal *divorce*, ti'n feddwl?' gofynnodd Iola, a wyddai'n iawn sut deimlad oedd gwahanu oddi wrth ddyn ond erioed oddi wrth ddynes. A hithau wedi byw yn yr un lle gydol ei hoes, roedd ganddi'r un ffrindiau yn ganol oed ag y bu ganddi'n blentyn.

'Ia, ma siŵr,' meddai Meinwen yn chwithig. 'Er na ddaru ni 'rioed ffraeo'n union...'

'Ella y bysa hi'n well tasa chi *wedi* ffraeo,' meddai Iola, gan ailadrodd cyngor roedd hi wedi'i ddarllen yn un o golofnau gofidiau ei chylchgronau merched.

'Ella wir,' cytunodd Meinwen. Ffraeo a chlirio'r awyr. Ond am be fasan nhw wedi medru ffraeo? Y ffaith bod Alys wedi dod mor agos at fod yn anffyddlon i Mal noson eu priodas? Roedd hi wedi rhoi llond ceg i Alys am hynny ar y pryd. Yr hen helynt annifyr 'na efo Sara Rheidol? Yn sicr, hi a'i strywiau ddaeth rhyngddyn nhw a suro'u cyfeillgarwch.

Roedd Alys wedi cymryd ei chas go-iawn tuag at Sara ar ôl ei ffling efo Ifor, a Meinwen wedi cadw arni. Daeth Meinwen a Sara wedyn yn dipyn o ffrindiau tan... wel, tan i Meinwen sylweddoli mai Alys oedd yn iawn ac nad oedd Sara yn berson neis iawn wedi'r cyfan. Ond erbyn hynny roedd y rhwyg rhyngddyn nhw yn rhy llydan i'w bontio...

'Hitia befo, cyw – ti yma rŵan,' meddai Iola, gan ddwyn Meinwen yn ôl i'r presennol.

'Gymri di ddiod bach efo ni, Iols?' cynigiodd Mal.

'Swn i wrth 'y modd, ond well i mi'i throi hi. Rhaid i mi nôl Iolo o'r *Youth Club* erbyn deg. Jyst picio ar y ffor' i jecio dy fod ti'n iawn nesh i...a dŵad â'r deisan blât ma i chdi,' meddai, gan dynnu plât wedi'i orchuddio mewn ffoil o'r bag plastig yn ei llaw. 'Riwbob – ti'n licio riwbob, twyt?'

'Wrth 'y modd,' meddai Mal gan gymryd y plât oddi arni. 'Doedd dim isio i chdi, sti, ond diolch i chdi'r un fath…'

'Croeso tad,' gwenodd Iola arno fel hogan ifanc wedi gwirioni cyn troi at Meinwen. 'Wel, neis dy gwarfod di Meinwen. Er, dim un o Sir Fôn w't ti, naci?'

'Naci, ddim cweit… Caergybi.'

Edrychodd Iola'n hurt arni am eiliad, cyn sylweddoli mai tynnu ei choes roedd Meinwen.

'Reit dda 'ŵan. Gest ti fi fan'na. Hawdd deud dy fod ti'n ffrindia efo Alys. Ma honno 'run fath, tydi Mal? *Dry wit*.'

Gwenodd Mal arni'n ddiolchgar. Nid pawb a gyfeiriai at Alys yn yr amser presennol y dyddiau hyn.

Ar ôl i Iola Elan adael, gan adael tarth melys cryf o *Opium* yn gymysg â Silk Cut ar ei hôl, eisteddodd Mal a Meinwen mewn distawrwydd chwithig am rai munudau, y ddau wedi ymgolli yn eu meddyliau eu hunain.

'Be sy'n mynd trwy dy feddwl di?' gofynnodd Mal ymhen sbel.

'Dim byd.'

'Oes tad, fedra i ddeud.'

'Jyst meddwl o'n i… fysach chdi ddim yn brin o gwmni tasa rwbath yn digwydd i Alys… Nid bod rwbath yn mynd i ddigwydd iddi, wrth gwrs,' ychwanegodd yn frysiog.

'Be ti'n feddwl?'

'Tyd o'na Mal – Iola, 'de.'

'Iola?'

'Fasach chdi'n medru gneud yn lot gwaeth. Rwbath reit debyg i Elizabeth Taylor ynddi.'

'Liz Taylor ganol oed, dew ella.'

'Mae'n siŵr 'i bod hi'n dipyn o bishyn ers talwm.'

'Ma Iola wastad wedi edrach fatha Liz Taylor ganol oed. Hyd yn oed pan odd hi'n hogan fach!'

Chwarddodd y ddau yn hanner euog, hanner drygionus, fel y bydd pobl pan fyddan nhw'n chwerthin am ben pobl eraill tu ôl i'w cefnau.

'Ma hi 'di mopio arnach chdi beth bynnag.'

'Fedar Alys mo'i diodda hi.'

'Dyna pam, ma siŵr.'

'Tydi hi mo 'nheip i, sti.'

'Taw di!' Yn goeglyd.

'Ma hi'n hen hogan ffeind, cofia. Siort ora. Jyst nad ydi'r ddelwedd *tart with a heart* yna'n apelio ata i.'

'Pam na ddeudist ti wrthi am Alys?'

'Be, 'i bod hi 'di deffro am chydig?'

'Ia.'

'I be? Y peth cynta ofynnodd hi pan agoris i'r drws gynna odd 'Su' ma Alys?' 'Run fath,' medda fi, achos taswn i 'di deud wrthi hi mi fasa pawb yn y pentra ma'n gwbod am y peth erbyn fory ac yn mynd i 'mhen i'n holi amdani.'

'Dwi'n cofio Alys yn sôn amdani unwaith – be'i galwodd hi, d'wad? Iola Elan…'

'Iola Elan, Glynu fel Gelan!' chwarddodd Mal. 'Ac wsti be 'di enw'i mab hi?'

'Gwn, mi ddeudodd hi gynna – Iolo… Be sy o'i le ar hynny?' Edrychodd Meinwen mewn penbleth am funud cyn iddi sylweddoli. 'O, wela i. Iolo – a hitha'n Iola…'

'A wsti be ydi'i enw canol o?'

'Tydi o 'rioed yn Elan hefyd?'

'Bron iawn. Eilian. Iolo Eilian… Iola Elan a Iolo Eilian…'

'Paid â'u deud nhw!'

'Cris croes, tân poeth!'

Roedd y ddau yn glana chwerthin erbyn hyn, â'r whisgi'n llifo'n ffrwd gynnes braf trwy eu gwythiennau.

'Jyst gobeithio nad ydi hi tu allan i'r ffenast yn gwrando,' meddai Meinwen.

'Mi fasa hi wedi canu arna i am deisenna plât wedyn,' atebodd Mal, a chwarddodd y ddau drachefn, â'r chwerthin hwnnw yn gyfuniad croch o hiwmor a hysteria.

Iola

EISTEDDAI IOLA yn ei char y tu allan i neuadd y pentre yn drachtio'n ddwfn ar ei sigarét wrth ddisgwyl i'w mab ddod allan. Roedd hi'n ddeugain pan gafodd o'i eni, bymtheg mlynedd yn ôl erbyn hyn. Plentyn roedd hi wedi deisyfu amdano ers blynyddoedd, er y basai rhai pobl gul yn siŵr o gyfeirio ato fel plentyn siawns. Iolo oedd cannwyll ei llygad, ac roedd hi wedi bod yn fam dda iddo, a hynny ar ei phen ei hun.

Wyddai neb ond hi i sicrwydd pwy oedd y tad. Tybiai fod gan hwnnw ei amheuon, er ei fod wedi bod yn ddigon parod i'w choelio pan ddywedodd wrtho mai ffrwyth ffling efo weitar Groegaidd tra bu ar ei gwyliau yn Kos oedd Iolo. Roedd hynny'n egluro croen a llygaid tywyll ei mab, oedd mor wahanol i groen golau a llygaid fioled ei fam. Er hynny, tybiai Iola ei fod o'n dal i amau'n dawel bach.

Ddaru hi ddim gwneud ymdrech i'w hudo. Mi fasai hynny wedi bod yn anfaddeuol. Ddaru yntau ddim mynd allan o'i ffordd i'w hudo hithau chwaith, er ei bod hi wedi rhyw fudur amau ers tro ei fod o'n ei ffansïo. Ei ddal o'n edrych arni'n slei bach, gan wasgu heibio iddi neu gyffwrdd ynddi ar yr esgus lleia. Roedd hynny wedi ei gwneud hi'n anesmwyth i ddechrau, ond ar ôl sbel fe ddechreuodd fwynhau'r sylw a'r fflyrtian llechwraidd.

Wrth gwrs, fe wyddai ei bod hi'n chwarae efo tân pan dderbyniodd bas adref ganddo fo'r noson honno ar ôl iddi hi a Michelle roi clec i ddwy botelaid o win wrth dorheulo yn yr ardd. 'Duwcs, na, ffonia i am dacsi,' meddai, ond roedd Michelle wedi mynnu: 'Paid â siarad yn wirion, eiff Mei â chdi adra, siŵr iawn.' Ac i ffwrdd â nhw – Iola â'i chalon yn curo mewn cynnwrf wrth i Mei ddweud wrth Michelle hwyrach y byddai'n picio i'r Leion am gêm o bŵl ar ei ffordd adref.

Gyrrodd y ddau i dŷ Iola mewn distawrwydd llethol. Roedd hi wedi bod yn ddiwrnod poeth a thrymaidd, ac erbyn hyn roedd taranau yn dechrau rhuo yn y pellter. Roedd yr awyrgylch yr un fath y tu mewn i'r car, yn dynn a thrydanol. Eisteddai Iola'n berffaith lonydd yn y sedd flaen, yn ymwybodol, drwy gil ei llygaid, o wyneb difynegiant Mei a'i fysedd yn gwasgu'r llyw yn dynn. Dychmygodd ei fysedd yn gwasgu ei chnawd hithau yn yr un modd, a rhedodd cryndod disgwylgar trwyddi.

Roedd y storm wedi nesáu erbyn iddyn nhw gyrraedd pen eu taith, a'r dafnau cynta o law wedi dechrau disgyn. Daliai'r ddau ohonyn nhw i eistedd yn y car, gan syllu o'u blaenau heb yngan gair â'r injan yn dal i redeg, yn edrych ar y dafnau mawr yn tasgu a diferu'n araf i lawr y sgrîn wynt. Plop, plop, plop, plop, plop... nes bod y gwydr yn aneglur gan y ffrydiau mân a lifai drosto.

'Y car ydi'r lle saffa i fod mewn storm medda nhw,' meddai Iola o'r diwedd, â'i llais yn rhyfeddol o wastad o ystyried mor nerfus y teimlai'r tu mewn.

'Dwi'm isio bod yn saff – wyt ti?' Trodd Mei i edrych arni o'r diwedd, â golwg chwil yn ei lygaid, er nad oedd o wedi yfed diferyn. Mor debyg i lygaid Mal rhwng dau olau fel hyn. Gwenodd Iola arno – ei gwên 'hoedan fudur', chwedl Les, ei chyn-ŵr. Jôc fach gariadus rhwng y ddau oedd hynny i ddechrau, ond o dipyn o beth fe drodd pethau'n gas, efo Les yn ei chyhuddo o wenu'r un fath ar ddynion eraill.

'Nacdw. Dwi'm isio chwara'n saff o gwbwl.'

Rhedodd y ddau i'r tŷ trwy'r dilyw, a dechrau llarpio'i gilydd ar eu hunion fel anifeiliaid ar eu cythlwng, gan ddiosg eu dillad a'u lluchio i bob cyfeiriad. Roedd hi'n tynnu at ddiwedd mis Awst ac yn dechrau nosi'n dipyn cynt. Goleuwyd y stafell fyw bob hyn a hyn gan fflachiadau glas y mellt a ddeuai bob yn ail â rhu'r taranau uwch eu pennau, gan ychwanegu at gyffro eu caru.

Daeth y storm ag elfen afreal bron i'r weithred, gan bylu rhywfaint ar eu brad. Ond wrth gwrs roedd hynny hefyd yn rhan o'r wefr: gŵr a ffrind gorau Michelle yn caru efo'i gilydd, yn bradychu'r person a olygai gymaint i'r ddau ohonynt. Yr hen driongl rhywiol, cyffrous a chreulon.

Mewn cydamseru perffaith, roedd y storm wedi gostegu erbyn i Iola a Mei rowlio ar wahân a gorwedd ar y carped yn syllu ar y nenfwd a chael eu gwynt atynt. Yna, wrth i Mei ymbalfalu am law Iola yn y gwyll canodd y ffôn, yn sgrech gyhuddgar gan darfu ar y llonyddwch. Gwyddai Iola cyn ei ateb pwy oedd yno.

'Michelle! Chdi sy 'na!' Swniai ei llais yn annaturiol o siriol. Edrychodd draw at Mei, oedd wedi eistedd i fyny fel siot pan glywodd enw ei wraig. Winciodd Iola arno. 'Yndi, ma dy ŵr di yma... Ofn y storm arno fo, y babi mawr iddo fo. Chditha 'fyd? Wel tydach chi'n ddau o betha clws... Ti'sio gair efo fo? Ti'n siŵr?... Iawn... Wela i di fory... Twdl-ŵ 'wan...'

'Be odd hi isio?' holodd Mei mewn braw.

'Gofyn faint 'swn i'n 'i roi i chdi allan o ddeg...' Dechreuodd Iola chwerthin wrth weld y braw yn cynyddu ar wyneb Mei. 'Callia, nei di! Jyst tsiecio'n bod ni'n iawn oedd hi, heb gael ein taro gin felltan na dim byd felly...'

'Ma hi ofn stormydd trwy'i thin...'

'Wela i'm bai arni hi, os ydyn nhw'n cal effaith fel'na arnach chdi.'

'Nacdyn.' Camodd Mei tuag ati, ei gorff noeth mor galed a gwyn â delw yn y gwyll. 'Chdi sy'n cal effaith fel'na arna i, Iola…'

Roedd arni isio protestio, isio dweud wrtho fo, '*Na! dim eto*', ond roedd o mor debyg i Mal wrth iddo gerdded yn ara, bwrpasol tuag ati, a'r blys wedi hogi miniogrwydd newydd yn ei lygaid, fel na allai ei wrthod…

Wedyn, wrth gwrs, roedd hi wedi dweud wrtho fo ar ei ben: 'Tydi hyn byth yn mynd i ddigwydd eto. Dallt?' Roedd Mei wedi rhythu arni mewn siom cegagored, nes iddi egluro wrtho y basa Michelle yn siŵr o'u dal nhw'n hwyr neu'n hwyrach petaen nhw'n dal i botsian… 'Ac yn bersonol, dwi'm isio colli fy ffrind gora. W't ti isio colli dy wraig?'

Ysgwyd ei ben yn chwyrn ddaru o. Michelle roedd o'n ei charu, wedi'r cyfan, nid Iola. Ffrind Michelle oedd Iola, yn byw ac yn bod yn ei gartra, yn ei yrru fo'n wirion efo'i llygaid pryfoclyd a'i bronnau mawr.

Un o'i hoff ffantasïau oedd dychmygu'i hun yn y gwely efo Iola *a* Michelle, er y gwyddai fod ei wraig yn ffieiddio lesbiaid. Smaliai yntau gytuno efo hi, er mai ei hoff ffantasi oedd ei dychmygu hi a Iola yn cordeddu'n hanner noeth efo'i gilydd ar y gwely anferth efo'r cwrlid print llewpard arno yn eu stafell wely. Be ddiân oedd pwynt cael llofft fel *boudoir* mewn puteindy os nad oeddach chi'n bwriadu gwneud rhyw giamocs anweddus ynddi?

Ond roedd caru efo Iola ar ei phen ei hun wedi bod yn brofiad anhygoel, gyda hithau yr un mor eiddgar ag yntau. Mor wahanol i Michelle, oedd fel petai wedi colli ei hawydd yn ddiweddar. Wel, ers sbel go-lew â dweud y gwir. Bob amser efo rhyw esgus tila – cur yn ei phen, wedi blino gormod, amser y mis.

Doedd ryfedd ei fod o wedi troi at Iola am dipyn o gysur. '*Byth eto*,' meddai honno rŵan, a hwyrach mai hi oedd galla, er mor siomedig y teimlai. Ychydig iawn o bobl gâi get-awê efo cael affêr heb gael eu dal. Fel llofruddion, mae yna rai godinebwyr sy eisiau cael eu dal beth bynnag. Heblaw am Iola a Mei. Petai Michelle wedi dod i wybod amdanyn nhw mi fasa'r byd ar ben.

Wrth ei throi hi am adre y noson honno, ar ôl cael cawod i olchi ogla mysglyd Iola oddi ar ei gorff, (gallai ddefnyddio'r ffaith ei fod o wedi cael ei wlychu at ei groen yn y glaw fel esgus), trodd Mei at Iola a magu'r plwc i ofyn iddi, gan smalio tynnu coes: 'Faint 'sach chdi'n ei roi i mi, 'ta?'

'Am be ti'n sôn?' gofynnodd Iola, gan actio'n ddiniwed.

'Allan o ddeg.'

'O, hynny! Gad i mi weld 'ŵan… Tri? Naci, mwy na hynny… Dwi'n meddwl dy fod ti'n haeddu naw allan o ddeg.'

'Ddim yn bad,' atebodd yntau, gan fethu magu digon o blwc i ofyn iddi pam nad oedd o'n haeddu marciau llawn. A hyd yn oed petai o wedi gofyn, go brin y byddai Iola wedi dweud wrtho ei fod o wedi colli'r un marc tyngedfennol am mai Mei oedd o, ac nid Mal.

Daeth Iolo allan o'r neuadd yn tynnu coes a chwerthin efo'i ffrindiau. Rhoddodd calon Iola sbonc fach hapus wrth edrych arno'n cerdded i gyfeiriad y car – mor debyg i'w ewyrth ar ryw olwg! – gan gymryd un dracht olaf o'i sigarét cyn lluchio'r bonyn allan trwy'r ffenest.

Yna meddyliodd yn sydyn – gan drio mygu'r gobaith a deimlai wrth feddwl y fath beth ofnadwy – mae'n rhaid fod pethau'n edrych yn o ddu ar Alys os oedd Meinwen wedi dod i'w gweld hi ar ôl yr holl flynyddoedd o gadw draw.

Alys

MEWN EILIADAU TEIMLAIS *fy hun yn disgyn am flynyddoedd i lawr i grombil fy ngorffennol, yn ôl i gyfnod cyn i mi gael fy ngeni. Oblegid nid fy ngenedigaeth i oedd dechrau'r stori...*

BU MEGAN, fy mam, yn briod o'r blaen. Gerallt – 'Yncl Gerallt' i mi – oedd ei gŵr cynta. Hogyn hen-yn-ifanc lleol oedd â'i fryd ar fynd yn weinidog. Duw a ŵyr be welodd hi ynddo fo. Y ffaith ei fod o'n wahanol i'r hogia eraill, medda hi, a'r ffaith bod yna ryw her mewn hudo hogyn mor agos at ei le. Myrrath, mewn geiriau eraill, a'r myrrath hwnnw yn rhywbeth y byddai'n rhaid iddi dalu'n ddrud amdano.

Roedd Gerallt eisoes wedi ei dderbyn i'r weinidogaeth yr haf hwnnw, a Megan am fynd i'r Brifysgol ym Mangor i astudio Celf. Tybiai Gerallt fod ei fywyd wedi ei fapio'n dwt o'i flaen: bu'n ddigon ffodus o gael capel yn ei ofalaeth o fewn ei filltir sgwâr ei hun, a merch leol ddeniadol yn ddarpar wraig iddo. Ychydig a wyddai fod gan Megan gynlluniau eraill nad oedd yn ei gynnwys o, a'i bod yn bwriadu rhoi'r gorau iddo wedi iddi fynd i'r coleg.

Ond nid felly y bu. Ar ôl ymbalfalu stomplyd a byrhoedlog un noson yng nghefn Morris Minor Gerallt, darganfu Megan ei bod yn disgwyl babi. Yr eironi oedd mai dyna'r tro cynta iddyn nhw fynd mor bell, ac nad oedd yr un o'r ddau wedi mwynhau'r weithred – Gerallt am ei fod wedi'i arteithio gan euogrwydd am feiddio gwneud y ffasiwn beth cyn priodi, a Megan am nad oedd hi'n ffansïo rhyw lawer ar y creadur afrosgo yn y lle cynta.

Ystyriodd Megan gael gwared ar y babi i ddechrau. Eisteddodd mewn bath mor boeth ag y medrai ei ddioddef gan gymryd ambell lwnc o'r botel jin yr aeth hi'n unswydd yr holl ffordd i Fangor i'w phrynu. Feiddiai hi ddim ei phrynu'n lleol rhag ofn i bobl y siop gario straeon amdani. Ond yr unig beth wnaeth hynny oedd codi pendro a chyfog arni, a gwneud iddi gasáu jin am weddill ei hoes.

Roedd hi wedi clywed sôn am ferched yn erthylu'u babis eu hunain trwy wanu'r groth efo gweill, ond roedd y syniad mor wrthun iddi nes codi cyfog arni drachefn. Roedd hi wedi clywed sôn hefyd am ferched yn mynd i gael erthyliad mewn clinigau arbennig mewn dinasoedd fel Lerpwl a Manceinion, ac efo hynny mewn golwg mi fentrodd ddweud wrth Gerallt ei bod hi'n feichiog, yn y gobaith o'i ddarbwyllo mai cael gwared ar y babi fyddai orau.

'Cael erthyliad? Llofruddiaeth fasa peth felly!'

'Naci siŵr. Tydi o'm yn fabi eto beth bynnag…'

'Wrth gwrs ei fod o. Mae o'n berson bach byw sy'n tyfu tu mewn i chdi. Fedri di mo'i ladd o.'

'Ond fedra i mo'i gadw fo chwaith!' meddai Megan gan ddechra crio. 'Tydw i ddim yn barod i gael plant eto! Dwi'n rhy ifanc! Dwi isio mynd i'r coleg a gweld tipyn ar y byd! Dwi'm isio bod yn styc yn fa'ma…!' Brathodd ei thafod mewn pryd rhag ychwanegu '*efo chdi*'.

'Does na'm byd yn dy rwystro di rhag mynd i'r coleg siŵr iawn,' meddai Gerallt, gan ddelio efo'r argyfwng yn llawer gwell nag y byddai dan amgylchiadau gwahanol. Pe bai Megan ond wedi dweud wrtho ei bod hi'n feichiog, mae'n debyg y byddai wedi mynd i banig gan boeni am ymateb ei fam, ei braidd a Duw – yn y drefn yna. Ond fel roedd hi, bu'n rhaid iddo ganolbwyntio ar drio'i pherswadio i beidio â chyflawni'r pechod anfaddeuol o ladd ei phlentyn ei hun – cu plentyn nhw.

'Mi faga i'r babi tra byddi di yn y coleg.'

'Wnei di?' gofynnodd Megan trwy'i dagrau, wedi synnu y gallai dyn hyd yn oed ystyried y fath beth mewn oes pan mai peth prin ar y naw oedd gweld dyn yn rowlio pram neu fwydo babi. 'Ond be ma pobl yn mynd i'w ddeud?'

'Tydi'r ots gen i be ddywed neb.'

'Ond mi gei di dy alw'n gadi-ffan, a finna'n hen gnawas galad.'

'Mae pobol sy'n lladd ar bobl erill yn mynd i ffeindio ryw reswm dros wneud hynny beth bynnag. Ti'n ferch fodern i fod – pam dyliach chdi boeni be mae pobl erill yn ei feddwl ohonach chdi?'

Dyna gau ei cheg hi. Megan, a ystyriai ei hun yn ferch mor feiddgar ac o flaen ei hamser. Gyda chalon drom ond â chydwybod glân felly, cytunodd Megan gadw'r babi a phriodi Gerallt, er rhyddhad i'w rhieni hi a siom i'w fam o. Roedd Mabel Jones wedi gweld trwy Megan o'r foment y gwelodd hi am y tro cynta, efo'i *eye-liner* a'i *padded bras*. Yn ei thyb hi, dim ond merched twyllodrus efo rhywbeth i'w guddio, neu heb ddigon i'w ddangos, a fyddai'n troi at bethau artiffisial felly i hudo dynion.

Dagrau pethau oedd bod Gerallt mewn cariad efo Megan, a phan aned Arianrhod rai misoedd yn ddiweddarach fe syrthiodd mewn cariad am yr eildro, gan wylo'n hidl wrth feddwl mor agos y daeth y greadures fach hudol hon – Arianrhod, fel y mynnodd ei galw – i farw cyn iddi gael cyfle i fyw'n iawn.

Ni chymrodd Megan ati yn yr un modd. Doedd hi ddim yn or-hoff o fabis beth bynnag, a doedd hi ddim yn deall beth a wnâi i bobl – merched bron yn ddi-ffael – wirioni ar fodau bach mor swnllyd a diwerth efo'u gwynebau crebachlyd coch a'u drewdod.

'Wyt ti am 'i bwydo hi dy hun?' gofynnodd Gerallt yn obeithiol. 'Llaeth y fam sy ora, sti. Dyna ges i.'

Edrych arno mewn arswyd ddaru Megan. Toedd arni hi ddim isio'r hen strach nag agosatrwydd annymunol bwydo o'r fron.

'Hen lol hen-ffasiwn. Sneb yn gneud hynny'r dyddia yma, siŵr iawn. A beth bynnag, sut bysa disgwl i mi fynd i'r coleg taswn i'n bwydo fy hun ac yn gorfod codi'r nos? Dy joban di fydd hynny, cofia.'

Yn wir, 'joban' Gerallt oedd bob dim ynglŷn â'r babi. Ac eithro ar fwrw Sul, pan oedd yn rhaid iddo baratoi ei bregethau – yn ben set, ers i Arianrhod gael ei geni – a mynd i'r capel i'w pregethu.

Roedd Megan yn casáu'r penwythnosau â chas perffaith am nad oedd ganddi esgus bryd hynny i ddianc, ond o leia fe roddai'r ffaith bod ganddi fabi i edrych ar ei ôl esgus iddi rhag mynd i'r capel i wrando ar ei gŵr neu ryw lembo arall yn paldaruo o'r pulpud.

Yn ystod yr wythnos fodd bynnag, teimlai Megan ryddhad enfawr yn tonni drosti wrth adael y tŷ ben bore, ond bob nos wrth ddychwelyd adre mi suddai ei chalon i'w sgidiau. Beiai Gerallt yn ddistaw bach am y ffaith bod yn rhaid iddi deithio'n ôl a blaen bob dydd yn hytrach na chael aros mewn neuadd breswyl a chymdeithasu efo'i chyd fyfyrwyr.

Yna, un diwrnod yn gynnar yn y gwanwyn, trowyd byd bach blin Megan â'i ben i waered.

Cerdded ar hyd y pier roedd hi un amser cinio, y gwynt yn ei gwallt tywyll a harddwch yr olygfa lond ei phen. Roedd ar ei phen ei hun, fel y dewisai fod fwyfwy'n ddiweddar, gan fod cwmni myfyrwyr eraill yn dueddol o ddwysáu ei heiddigedd ohonyn nhw â'u rhyddid i fynd a dod fel y mynnent. Arhosodd i bwyso ar y rheilin gan edrych draw i gyfeiriad Penmon ac Ynys Seiriol.

'Treni na allen ni hedfan bant,' meddai llais wrth ei hymyl, mor agos nes ei fod yn cosi'i gwegil. Trodd Megan ac edrych i fyw llygaid teigraidd Joshua Palance. Syrthiodd mewn cariad ag o ar ei hunion.

Cai Joshua Palance yr un effaith ar sawl merch: caent eu swyno gan ei garisma a'r modd yr edrychai i fyw eu llygaid; caent yr argraff mai nhw oedd y person mwya diddorol a deniadol dan wyneb haul. Dyna oedd ei ddawn. Doedd o ddim yn ddyn confensiynol olygus, efo'i wallt cringoch cras, ond roedd ganddo rywbeth – rhyw *je ne sais quoi* Clintonaidd – a drôi bengliniau merched yn jeli.

'Piti garw,' atebodd Megan ymhen hir a hwyr, gan frathu ei gwefus rhag chwydu'r holl chwerwedd a ffrwtiai tu mewn iddi ger bron y creadur hyfryd yma.

Yna, rhoddodd Joshua Palance ei law'n dyner ar ei hysgwydd a'i throi'n ara tuag ato. Roedd ei lygaid mor llawn o gydymdeimlad nes peri i Megan ddechrau crio, â'r dagrau'n powlio'n ffrydiau duon i lawr ei gruddiau. Tynnodd Joshua hi ato, gan wasgu'i phen yn erbyn ei fynwes nes bod ei grys gwyn yn un poitsh gwlyb o ddagrau a staeniau mascara.

Ymddiheurodd Megan yn llaes, ond dywedodd Joshua na fyddai'n golchi'r crys byth bythoedd am nad oedd o eisiau golchi ei dagrau hi oddi arno. *Smooth-talking bastard* os bu un erioed, ond mae yna rai dynion sy'n llwyddo i wneud hynny heb ymddangos yn sebonllyd nac yn ffuantus. Roedd 'nhad yn un o'r rheini.

Sbriwsiodd Megan trwyddi yn ystod misoedd cyntaf ei haffêr hi a Joshua, a gwywodd gobaith sawl merch wrth sylweddoli bod rhywun arall wedi cipio ei galon, er na wyddai neb i sicrwydd pwy oedd y ferch lwcus. Roedd gan sawl un ei amheuon serch hynny, a digon i'w ddweud am y ffaith bod Joshua yn potsian efo gwraig briod – a honno, yr hoeden ddigywilydd iddi, mor farus fel nad oedd un dyn yn ddigon iddi!

Roedd Gerallt yntau wrth ei fodd o weld y trawsnewid yn ei wraig, gan feddwl ei bod hi wedi dod at ei choed o'r diwedd. Iselder ar ôl genedigaeth mae'n rhaid, meddyliodd, wrth feddwl am y misoedd blin a aeth heibio. Am y tro cynta ers i Arianrhod gael ei geni, dechreuodd Megan ei magu a mynd â hi am dro o'i gwirfodd, ac un bore Sul mi fentrodd fynd â hi i'r capel hyd yn oed, nes i Gerallt deimlo y byddai ei galon yn byrstio mewn balchder a llawenydd.

O gwmpas yr adeg yma, dechreuodd Megan aros dros nos ym Mangor unwaith yr wythnos, gan ddweud ei bod hi wedi ymlâdd wrth deithio'n ôl a blaen bob dydd. Cytunodd Gerallt ar unwaith, gan deimlo'n euog na fyddai o ei hun wedi awgrymu hynny iddi. O ganlyniad, awgrymodd y dylai Megan aros ambell noson arall hefyd pe dymunai, ac er iddi wneud sioe o wrthod i ddechrau, dechreuodd ei gymryd ar ei air wrth i'r tymor fynd rhagddo.

Dywedodd wrtho ei bod yn aros efo Barbara Llanbabo, hogan dew efo chwerthiniad iach a chylch eang o ffrindiau. Doedd Megan ddim yn un ohonyn nhw. Er hynny, gwrandawai ar 'Babs' yn mynd trwy'i phethau yn y ffreutur, yn gweryru fel hiena wrth sôn am ryw droeon trwstan a ddeuai i'w rhan byth a hefyd. Ailadroddai Megan yr hanesion hyn wrth Gerallt, gan lenwi ei nosweithiau efo'i hafiaith.

'Rhaid i mi gyfarfod y Barbara 'ma,' meddai Gerallt fwy nag unwaith. 'Mae'n swnio'n andros o gês.'

'Ma hi,' atebai Megan, er bod yn gas ganddi'r bladras gegog, gan droi'r sgwrs yn reit sydyn. Wyddai hi ddim am ba hyd y medrai fyw'r celwydd yma cyn i bethau fynd yn flêr. Ond byw er mwyn yr adegau pan gâi fod efo Joshua roedd hi bryd hynny, heb feddwl gormod am y dyfodol.

Fel mae'n digwydd, daeth pethau i derfyn yn gynt na'r disgwyl, a hynny ar ffurf llythyr dienw a anfonwyd at Gerallt. Pan gyrhaeddodd Megan adre un amser te, ar ôl treulio noson arall o wynfyd gwaharddedig yng nghwmni a gwely Joshua Palance, roedd Gerallt yn eistedd wrth fwrdd y gegin â golwg dyn wedi gweld drychiolaeth arno. Am y bwrdd ag o eisteddai Arianrhod yn ei chadair uchel, yn rhofio cynnwys y bowlen siwgwr i'w cheg yn hapus braf.

'Be sy?' gofynnodd Megan ar ei hunion, gan sylwi mewn panig ar y darn o bapur ar y bwrdd. Atebodd Gerallt mohoni, dim ond dal i syllu o'i flaen.

'Mam, Mam – Afián yn byta siwgwf!' meddai'r fechan, gan golli hanner y llwyaid drosti'i hun a'r llawr.

'Da iawn chdi, siwgwr,' atebodd Megan, â'i meddwl ymhell wrth iddi gydio yn y darn papur a dechrau ei ddarllen.

Annwyl Mr. Jones

Yr wyf yn ysgrifennu atoch parthed mater braidd yn delicate. Mae gennyf le i gredu bod eich gwraig yn anffyddloni chwi gyda gŵr o'r enw Joshua Palance. Credaf fod eu hymddygiad yn waradwyddus, yn enwedig â hithau yn wraig i weinidog yr efengyl. Credaf hefyd ei bod yn iawn i chwi gael gwybod am hyn cyn iddynt dynnu eich enw da chwithau trwy'r baw.

Yr eiddoch yn gywir

Ffrind

Rhuthrodd y gwaed i ben Megan. 'Pwy yrrodd hwn?'

'Rhyw ffrind i mi,' atebodd Gerallt yn goeglyd.

'Ffrind, o ddiân!'

Trodd Gerallt i edrych arni am y tro cynta ers iddi gerdded i mewn trwy'r drws. 'Ydi o'n wir, Megan?'

'Ydi be'n wir?' gofynnodd hithau'n hurt.

'Dy fod ti'n caru efo'r… efo'r dyn 'ma?'

'Nacdi, siŵr!' Mor reddfol y daw celwydd i ni pan gawn ein gwthio i gornel.

Daliai Gerallt i syllu arni fel ci wedi'i gicio, yn disgwyl yn druenus am y gic farwol.

'Yndi, mae o'n wir,' meddai Megan gan blygu'i phen mewn cywilydd, er bod yna rywfaint o ryddhad yn y cywilydd hwnnw.

'Pwy 'di o, 'lly – y Joshua Palance 'ma?' Tynnodd Gerallt wyneb sur, fel petai yna rywbeth di-chwaeth am yr enw. 'Darlithydd?'

'Naci, myfyriwr.'

'Myfyriwr!' wfftiodd Gerallt. 'A sut wyt ti'n disgwyl i fyfyriwr tlawd dy gynnal di?'

'Be ti'n feddwl?'

'Wel efo fo ti'sio bod, dwi'n cymryd, ac nid efo fi?'

'Dwi'm 'di meddwl am y peth!' atebodd Megan. *Dim ond yn fy mreuddwydion, dim ond yn nymuniad dyfnaf fy nghalon.*

'A be sgen Barbara i'w ddeud am y peth – mae hi *yn* gwbod, dwi'n cymryd?'

Edrychodd Megan arno mewn penbleth am eiliad, cyn cofio'n sydyn pwy oedd Barbara.

'Tydw i ddim yn ffrindia efo Barbara…'

'Be – oherwydd hyn?' Roedd yna dinc o obaith yn ei lais, bod rhywun, o leia, yn driw iddo.

'Fues i rioed yn ffrindia efo Barbara.'

'Ond ddeudist ti…'

'Deud clwydda wnes i… Ei defnyddio hi fel *alibi* tra o'n i efo Joshua…'

Rhythodd Gerallt arni mewn braw. 'Paid â deud mai efo *fo* ti wedi bod yn aros yr holl nosweithia 'ma!'

'Ia.'

'Ti wedi cysgu efo fo felly?'

Edrychodd Megan arno mewn anghrediniaeth. Sut medra fo fod mor naïf? 'O'n i'n meddwl dy fod ti'n dallt hynny'n barod.'

'Rhyw gyboli gwirion feddylis i oeddach chi.'

'Rhyw – ia. Cyboli gwirion – naci.'

'Nid rhywbeth i'w wamalu yn ei gylch o ydi hyn. Yr odinebwraig!'

Chwarddodd Megan yn nerfus. Doedd hi erioed wedi gweld Gerallt yn gwylltio o'r blaen. Cythrodd yntau ar ei draed. Edrychodd Arianrhod i fyny'n sydyn, gan synhwyro'r tensiwn yn y stafell.

'Paid ti â chwerthin ar 'y mhen i, Jesebel!'

'Paid ti â 'ngalw i'n enwa mor wirion ta!'

'Godinebwraig!'

'Cwcwallt!' atebodd hithau'n ôl yn ddifeddwl, gan ddifaru ar ei hunion.

Am eiliad, credai Megan fod Gerallt yn mynd i'w tharo. Ond yna, yn ddirybudd, plygodd ei ben a dechrau igian crio nes bod ei sgwyddau ac yna'i holl gorff yn ysgwyd. Edrychodd Megan arno mewn braw a thosturi, y creadur hen-ffasiwn yma yn ei gardigan lwyd a'i sliperi siec yn torri'i galon o'i blaen. Dechreuodd Arianrhod chwerthin yn nerfus, ond buan y trodd y chwerthin yn ddagrau.

'Im isio i Dad grio! Im isio i Dad grio!' gwaeddodd trwy'i dagrau, gan straffaglu i ddod allan o'i chadair. Cydiodd Megan ynddi mewn ymgais i'w chysuro, ond gwthiodd Arianrhod hi oddi wrthi efo nerth annisgwyl. Gwyddai Megan bryd hynny y byddai'n rhaid iddi adael. Hi oedd yr un dyn bach dros ben yn y triawd yma, felly ei lle hi oedd gadael.

Mae yna rywun yma. Trwy'r haenau o atgofion a thywyllwch mi fedra i synhwyro bod rhywun yma efo fi. Rhywun cyfarwydd ond diarth. Mi fedra i synhwyro tristwch mawr llethol nad oes a wnelo fo ddim â 'nghyflwr i. Mae fel cael cip ar hunllef rhywun arall, a bod yn rhy ddiymadferth i estyn fy llaw er mwyn achub y person sy'n breuddwydio.

Fel pan fu farw Glain, yr hogan fach yr arferwn ei gwarchod ers talwm, ar ôl iddi gael ei tharo gan lorri. Gwaedai 'nghalon dros ei rhieni, wylwn bob nos yn fy ngwely drostyn nhw a throsti hithau, 'yr eneth oleubleth lon' oedd mor llawn bywyd. Ond pa werth oedd fy nhosturi a 'nghydymdeimlad i iddyn nhw? Rhywfaint, efallai, yn ystod y misoedd cynnar cyn i realiti eu colled enfawr eu taro nhw go-iawn. Ond, yna, un tro pan alwais i yno i'w gweld, clywais yr hoover *yn tewi wrth i mi guro ar y drws ac yna rhyw ddistawrwydd annifyr wrth i'r fam ddal ei gwynt yn disgwyl – yn ewyllysio – i mi fynd. Ddychwelais i ddim yno ar ôl hynny.*

Flynyddoedd yn ddiweddarach, yn ystod gwyliau'r coleg, gwelais y fam yn sgwrsio ac yn chwerthin efo criw o ffrindiau yn Nhafarn y Rhos. Roeddwn ar fin mynd ati i ddeud helo pan edrychodd arna i a fferru fel petai hi wedi gweld drychiolaeth yn sefyll o'i blaen. Anghofia i fyth mo'r olwg yn ei llygaid. Gadewais ar unwaith gan deimlo'n euog 'mod i wedi tarfu ar ei hwyl fel rhyw blismon galar, 'mod i wedi'i hatgoffa o'i merch, 'mod i wedi bod mor hy â meddwl y basa hi'n falch o 'ngweld i. Doedd yna ddim bai arna i mewn gwirionedd wrth gwrs, ond teimlwn yn euog yr un fath. Yn euog a thrist.

Felly y teimlai'r fam hefyd, mae'n debyg – yn euog am i mi ei 'dal' hi'n mwynhau ei hun ac yn drist am i mi darfu ar y mwynhad arwynebol, byrhoedlog hwnnw. Yn drist, yn y bôn, oherwydd bod tristwch wedi dod yn ail natur iddi ers i'w phlentyn farw. Ddylai plant ddim marw. Ddylai neb orfod diodde'r galar ofnadwy o golli plentyn. Pan fyddai'r plant yn mynd ar fy nerfau i ers talwm – Cadi'n enwedig, na fu erioed mor annwyl nag angylaidd â Glain – mi fyddwn i'n deud wrtha i fy hun, 'O leia maen nhw'n fyw', ac mi fasa hynny wedyn yn rhoi petha mewn persbectif.

Rydw i'n teimlo'n euog a thrist rŵan hefyd, fel y person sy yma efo fi, â'i thristwch mawr llethol yn bygwth fy mygu fel amdo.

Ratsh

DWI'N TEIMLO'N EUOG am ddeud hyn, Alys, ond mi rown i'r byd am gael ffeirio llefydd efo chdi rŵan. Roeddach chdi'n edrach mor heddychlon pan gerddis i mewn i'r stafall, ond erbyn hyn ma dy dalcan di'n crychu rhyw fymryn fel tasa 'nhristwch i'n heintus. Mae'n rhaid 'i fod o, achos mae pobol wedi bod yn fy osgoi i'n ddiweddar. Ar ôl bod yn gefn i mi i ddechra, mae pobol wedi laru ar 'y ngwynab hir i erbyn hyn.

'*Hen bryd iddi hi ddod drosto fo,*' mi clywa i nhw'n deud, '*Wela i'm bai arno fo'n mynd os oedd hi mor ddiflas â hyn efo fo*'. Y lleisia yn 'y mhen, y paranoia, yr unigrwydd a'r ing.

Dwn i ddim be sy'n mynd trwy dy feddwl di wrth i chdi orwadd yn fan'na, Alys – os oes 'na rwbath o gwbwl – ond go brin 'i fod o mor boenus â'r hyn dwi'n mynd trwyddo fo ar hyn o bryd. A'r peth ofnadwy ydi na fedra i weld pen draw i'r boen, ac mae'r syniad o orfod cario mlaen fel hyn am gyfnod amhenodol – am weddill fy oes, ella – yn fwy nag y medra i ddiodda.

Ti'n gweld, Alys, mae Gej wedi mynd. Ar ôl dros ugian mlynedd o fod efo'n gilydd mae o wedi mynd. Ddim wedi marw, ond wedi mynd â 'ngadal i, sy'n saith gwaith gwaeth. Achos tasa fo wedi marw mi faswn i'n medru galaru a hel atgofion melys amdano fo a'n bywyd ni efo'n gilydd.

Ond fel y mae hi yr unig beth sy ar ôl ydi'r boen a'r gwarth o gael 'y ngadal, a'r holl atgofion yn werth dim byd gan 'u bod nhw wedi arwain at *hyn*. Atgofion melys sy wedi troi'n chwerw, achos be di'r pwynt creu bywyd efo person arall, gan roi cymaint o gariad ac egni ac ymddiriedaeth yn y person hwnnw, mond er mwyn chwalu'r cyfan yn yfflon? Mae'r peth mor ofer â gwnïo tapestri coeth a chymhleth ac yna 'i rwygo fo'n gyrbibion efo siswrn.

Mae Gej wedi trio egluro. Wedi aildwymo'r hen ystrydeba am berthynas mewn rhigol, teimlo'n gaeth, teimlo'n bod ni wedi drifftio'n ddiamcan ers blynyddoedd, a'i fod o'n sydyn wedi cyfarfod rhywun arall sy'n gwneud iddo fo deimlo'n *fyw*.

Rhyw fodan ifanc yn 'i hugeinia sy'n ysgolhaig disglair, yn ôl y sôn – sy'n 'y mrifo i'n lot mwy na thasa hi'n fimbo benchwiban, achos o leia wedyn mi fasa gen i'r cysur o wybod mai atyniad corfforol yn unig ydi o. Ond, yn ôl Gej, mae'r atyniad yn un meddyliol ac ysbrydol hefyd. Fel tasa 'ngadal i ddim yn ddigon, roedd yn rhaid iddo fo rwbio halen yn y briw trwy ddeud hynny wrtha i hefyd.

Lowri Rhyrid ydi'i henw hi. Enw uchel-ael, fel sy'n gweddu i Gymraes ysgolheigaidd. Mi wnes i chyfarfod hi mewn parti y noson yr aeth bob dim ar chwâl, ac o'r cychwyn cynta roedd 'na rwbath amdani nad o'n i'n 'i licio. Y ffaith 'i bod hi'n hen snotan ffals ella, a'r ffaith 'i bod hi wedi gofyn i mi, ar ôl i ni fod yn sgwrsio am rai munuda:

'Pwy y'ch chi, 'te?'

Mi fwrodd hynny fi gymaint oddi ar 'yn echal nes i mi atab yn llywath: 'Ratsh Roberts – partnar Gej.'

'Bachan ffein yw Gej. Halen y ddaear!'

'Sut dach chi'n nabod Gej, 'lly?' medda fi, â'r wên wedi fferru ar 'y ngwynab i.

'Rwy'n mynd i'w siop e'n amal. Siop wych! Cyment o amrywieth ynddi. Sai eriod wedi'ch gweld chi yno 'fyd…'

'Gweithio o adra ydw i…'

'Neud y cyfrifon ac ati, ife?'

'Sorri?'

'Wedoch chi taw chi yw 'i bartner e…'

'O – cymar o'n i'n feddwl, dim partnar busnas.'

'O,' medda hi, gan sbio arna i'n rhyfadd. 'Gwraig tŷ y'ch chi felly?'

'Naci. Cyfieithydd.' Mi dries i swnio'n bositif wrth ddeud hynny, er i 'nghalon i suddo. Pam na fedrwn i fod yn fardd neu'n wyddonydd yn hytrach na'n rhwbath mor ddiflas a chyffredin â chyfieithydd?

'O, diddorol,' medda hi mewn llais oedd yn awgrymu *Am boring*! Er 'mod i'n eitha tal, roedd hi fodfadd neu ddwy yn dalach na fi, ac yn llwyddo felly i edrach lawr 'i thrwyn arna i yn llythrennol. 'Sut fath o bethe byddwch chi'n 'u cyfieithu te?'

'Pob math o betha,' – *ffwcedig o undonog â deud y gwir,* bron i mi ag ychwanegu, ond wnes i ddim, mond sbio o 'nghwmpas am ddihangfa. Ro'n i wedi cael digon ar siarad efo'r fodan bowld yma efo'i thrwyn main a'i llygid slei. 'Sgiwsiwch fi, rhaid i mi fynd i chwilio am 'y ngŵr…'

'Gŵr?'

'Cymar, 'ta – run fath ydi o.' Ro'n i'n teimlo'n hun yn dechra colli 'nhempar. Ro'n i'n teimlo hefyd y basa hynny yn rhoi boddhad mawr i Lowri Rhyrid.

'Ma angen cadw golwg barcud ar y dynon 'ma. Ma hyd yn o'd y rhai mwya triw yn joio fflyrtan mewn partïon, medden nhw.' Yna efo un wên fach anghynnas arall roedd hi wedi mynd, gan 'y ngadal i'n sefyll yno ar fy mhen fy hun yn crynu mewn cynddaredd.

'Pwy sy 'di dwyn dy uwd di?' gofynnodd Gej pan ddaeth o heibio rai munuda wedyn.

'Yr hen bitsh Lowri Rhyrid 'na!'

'Dow, be sy a'nt ti? Ma Lowri'n hen eneth iawn.'

'Ma hitha'n ffan ohonach chditha 'fyd. Dwi bron ag ama bod 'na rwbath yn mynd mlaen rhyngoch chi'ch dau!'

Do'n i ddim yn 'i feddwl o wrth gwrs, mond isio bwrw dipyn ar 'y mol, ac yn disgwyl i Gej ddeud wrtha i am beidio â bod mor blentynnaidd.

'Wel, toes 'na ddim,' atebodd ynta, cyn ychwanegu ar ôl saib go chwithig: 'Ond fedra i ddim gwadu nad oes gen i deimlade tuag ati hi...'

'Be?' yn siarp, gan synhwyro'n reddfol nad tynnu 'nghoes i oedd o. 'Sut fath o deimlada?'

'Gen i grysh arni hi.'

'Crysh? Be ti'n feddwl crysh? Genod ifanc gwirion sy'n cal cryshys...'

'Ond felly ma hi'n gneud i mi deimlo. Yn ifanc a gwirion a dros 'y mhen a 'nghlustie...!'

'Paid â malu cachu, nei di – dwi'm yn y mŵd.'

'Dwi'n deud y gwir, Ratsh. Do'n i'm 'di bwriadu deud wrthat ti fel hyn, ond gan dy fod ti wedi codi'r pwnc...'

Weithia mewn bywyd, Alys, mae rhywun yn deud neu neud rwbath mor ysgytwol nes dy lorio di'n llwyr. Rhaid i mi gyfadda na chafodd y newyddion dy fod ti wedi cael dy daro'n wael yr un effaith arna i ag y cafodd cyfaddefiad ffwrdd-â-hi Gej y noson hunllefus honno. A hawdd gen i gredu sut mae pobol yn medru colli arnyn nhw'u hunan a lladd o dan y fath amgylchiada, achos tasa 'na gyllall wedi bod yn fy llaw i ar y pryd does gen i ddim amheuath y baswn i wedi trywanu Gej yn y fan a'r lle.

Ond yr unig beth oedd gen i oedd gwydrad o win coch, felly'r cyfan gafodd Gej oedd hwnnw dros 'i grys gwyn, drud.

'Be sy'n mynd 'mlân fan hyn, 'te? Cal *domestic* bach, ife?'
Roedd Lowri Rhyrid yn 'i hôl, a'r ffaith 'mod i a Gej wrthi'n
cael ffrae gyhoeddus yn fêl ar 'i bysadd hi. Yna, yn gwbwl
ddirybudd, mi luchiodd hi lond gwydrad o win gwyn dros
grys Gej, gan droi staen y gwin coch yn binc. Syllodd Gej a
finna arni'n syn.

'Gwin gwyn – dyna'r peth gore i gal gwared â staen gwin
coch medden nhw!' medda hi, a dechreuodd Gej a hitha
chwerthin, fel dau berson ar yr un donfedd sy'n rhannu'r un
synnwyr digrifwch. Fatha Gej a finna, ond mai efo rhywun
arall roedd o'n chwerthin rŵan, a finna'n teimlo allan ohoni'n
llwyr.

O fewn dim roedd Gej wedi 'ngadal i ac wedi symud i mewn
ati hi. Roedd bywyd yn rhy fyr i beidio â dilyn dyhead 'i
galon, medda fo, yn rhy fyr i aberthu gweddill 'i fywyd er 'y
mwyn i.

'Ddeudodd o mo hynny?' medda Meinwen pan ddeudis
i wrthi ar y ffôn. 'Jyst achos 'i fod o wedi bachu rhyw lefran
ifanc mae o'n meddwl mai fo ydi *God's Gift*. A beth bynnag,
tydw i'm yn 'i gweld hi'n aros efo fo, w't ti?'

'Pam ti'n deud hynny?'

'Wel tydi o ddim fel tasa ganddo fo lot o bres, na statws,
na dim byd felly, nacdi? Os nad ydi o'n uffar o foi yn y
gwely, wrth gwrs... Wel, ydi o?'

'Ym, wel, mae'n dibynnu be ti'n feddwl efo uffar o foi...'
Teimlais fy hun yn cochi gan ddiolch na fedra Meinwen 'y
ngweld i ar ben arall y ffôn.

'Be ddiawl ti'n feddwl dwi'n feddwl? Rhywun sy'n gneud
i'r ddaear symud pan dach chi'n caru. Rhywun sy'n gneud i
chdi deimlo fatha folcano'n ffrwydro. Rhywun sy'n...'

'Iawn, iawn, dwi'n dallt be sgen ti…' Ella mai fi sy'n hen-ffasiwn a sidêt, ond mae'n gas gen i drafod 'y mywyd rhywiol efo pobol erill. Mae'n gas gen i drafod rhyw, ffwl stop. Roedd Meinwen yn gwbod hynny hefyd, ond dal i brocio am atab ddaru hi.

'Wel? Sut un ydi o yn y gwely, 'ta? Dyd neu styd?'

'Rwbath rhwng y ddau, am wn i,' medda fi dan 'y ngwynt, yn teimlo, er gwaetha'r cwbwl, 'mod i'n bradychu Gej trwy sôn am hyd a lled 'i sgilia rhywiol o. 'Ond ma 'na betha pwysicach mewn perthynas na rhyw, 'sti Meinwen…'

'Petha na faswn i'n gwbod amdanyn nhw â finna'n hen ferch ti'n feddwl?'

'Ddim dyna be o'n i'n feddwl,' atebais inna'n g'lwyddog. 'Trio deud ydw i nad ydi rhyw yn rhan mor bwysig o berthynas ar ôl i gwpwl fod efo'i gilydd ers blynyddoedd. Ma 'na betha erill yn cymryd 'i le o, fatha cwmnïaeth a chyfeillgarwch…'

'A dy bartnar di'n 'i miglo hi efo rhywun arall.'

'Tydi hynna'm yn deg!'

'Ond mae o'n wir, Ratsh bach. Wyt ti'n trio deud wrtha i dy fod ti a Gej wedi rhoi'r gora i gysgu efo'ch gilydd?'

'Wel, ddim yn hollol…'

'Ond mi oedd y sbarc ar goll?'

'Be wyt ti: *sex therapist* neu jyst busneslyd?'

'Dipyn bach o'r ddau, am wn i… Ond, o ddifri 'wan Ratsh, trio dy helpu di ydw i fan hyn, ddim busnesu. Trio dy helpu di i ddallt pam bod Gej wedi dy adal di… Ella'i fod o jyst wedi syrthio mewn chwant efo'r hogan 'ma, sti – ti'n gwbod, isio chydig o sbeis yn 'i fywyd cyn iddo fo fynd yn rhy hen. Ti'n gwbod be 'di 'nheimlada i am fonogami beth bynnag – iawn i elyrch ond hollol anymarferol i bobol!'

'Fasach chdi'm yn deud hynny tasa gen ti gymar dy hun!'

'Baswn tad. Haws gen i ddallt swingars na phobl sy'n styc

mewn perthynas stêl a diflas…"

'Ond toedd ein perthynas ni ddim yn ddiflas. Roeddan ni'n agosach na'r rhan fwya o gypla. Yn gneud bob dim a mynd i bob man efo'n gilydd…'

'Ella mai dyna odd y broblem, sti,' medda Meinwen. 'Dwi'n cyfadda ella nad ydi perthynas agorad yn siwtio pawb, ond ma pawb angan lle i anadlu. Tydi hi'm yn iach byw ym mhocedi'ch gilydd, sti, neu'n hwyr neu'n hwyrach mae un ohonach chi'n mynd i fygu neu ddengid.'

Ro'n i ar fin protestio. Roedd arna i isio protestio. Ond er i mi agor 'y ngheg mewn protest sawl gwaith, ddaeth yr un gair allan.

'Su' ma Alys erbyn hyn?' medda fi, gan feddwl 'i bod hi'n hen bryd i mi newid y pwnc a rhoi'r argraff 'mod i'n meddwl am rywun arall heblaw amdana i fy hun.

'Yn dal i fod mewn coma, er 'i bod hi'n stwyrian a siarad dan 'i gwynt weithia.'

'Be ma hi'n 'i ddeud, 'lly?'

'Enwa pobol, enwa llefydd a ballu, fel ma rhywun sy'n breuddwydio.'

'Ma hynny'n arwydd da, dwi'n cymryd?'

'Ma'r doctoriaid yn cau deud. Ddim isio codi'n gobeithion ni, ma'n debyg. Dwi'n dal i deimlo'n uffernol am y peth, sti, gan mai fi drefnodd y blydi aduniad 'na.'

'Fedri di ddim beio dy hun am y ddamwain, siŵr iawn!' medda fi'n ddifynadd.

'Dwi'n gwbod, ond fedra i ddim peidio teimlo'n rhannol euog wrth 'i gweld hi'n gorwadd yno.'

O leia mae Alys yn anymwybodol, teimlais fel deud wrthi. *O leia tydi Mal ddim 'di'i gadal hi.*

'Fasach chdi'n fodlon dod i'w gweld hi eto? I siarad efo hi, trio procio mwy ar 'i cho hi?'

'Wrth gwrs y gna'i,' medda fi.

Ac yna dyma fi'n meddwl: dyma esgus da i ffonio Gej. Gofyn iddo fo helpu rhywun sy'n ffrind i ni'n dau a heb ddim byd i'w neud efo Lowri Rhyrid... Ella y basa fo hyd yn oed yn cytuno i ddwad i dy weld di efo fi...

Sorri os ydi hynny'n swnio fel taswn i am dy ddefnyddio di, Alys, ond mae'n siŵr dy fod ti wedi sylweddoli erbyn hyn mor despret o'n i. Fel mae'n digwydd, ddaru Gej ddim brathu'r abwyd beth bynnag.

'Dwi'm yn meddwl y base hynny'n syniad da iawn, Ratsh.'

'Am be?'

Ochneidiodd Gej, cyn egluro'n nawddoglyd: 'Am 'yn bod ni wedi gwahanu.'

'Ond tydi o'm ots am hynny. Y peth pwysig ydi'n bod ni'n mynd i weld Alys efo'n gilydd, achos fel cwpwl ma hi'n 'yn nabod ni...'

'Ratsh, plîs paid â gneud pethe'n anoddach i ti dy hun...'

'Be sy Gej – Lowri'n cau gadal i chdi ddŵad efo fi, 'ta be?'

'Nage siŵr.'

'Ti dan y fawd yn barod!'

'Nid perthynas felly sy gennon ni. Ryden ni'n ddau unigolyn o fewn un berthynas, ac mae 'na ddigon o sicrwydd o'r ddeutu i ni beidio â theimlo bod angen i'r naill gyfyngu ar y llall.'

'Ti wedi dysgu'r *psychobabble* yna ar dy go, dwi'n cymryd?'

'Ches i ddim digon o ryddid gen ti, Ratsh. Roedden ni wedi troi'n un person mwy neu lai...'

A be sy o'i le ar hynny? teimlais fel gofyn iddo fo. Ond yna mi gofis i bregeth Meinwen am beryglon perthynas rhy glos. Er hynny, to'n i ddim yn cytuno efo hitha chwaith. Ro'n i'n dal i gredu bod rhai pobol wedi'u gneud ar gyfer ei gilydd.

'Plîs, Gej, tyd efo fi i weld Alys… Wna i ddim swnian arnach chdi byth eto ar ôl hynny…' *Achos wedyn mi fyddi di wedi sylweddoli mai efo fi ma dy le di, ac mai efo fi ti'sio bod…*

'Na, Ratsh.' Yn gadarn. Mor gadarn nes i rwbath g'ledu tu mewn i mi.

'Stwffia chdi 'ta'r bastad hunanol. Mi a i weld Alys ar 'y mhen 'yn hun. Toedd ganddi fawr o feddwl ohonach chdi beth bynnag. Ti'n gwbod be galwodd hi chdi?'

'Be?' Yn betrus, â'i falchder ar fin cael 'i fyrstio.

'*Designer amoeba!*'

'Be? Ond dyna oedd enw'r band…'

'Yn union. Alys fathodd yr enw. Dyna be oeddan nhw'n dy alw di tu ôl i dy gefn.' *Sorri Alys, ond roedd yn rhaid i mi gael deud wrtho fo.*

'Pwy?'

'Y Criw.'

'Tithe 'fyd?'

'Cadw arnach chdi o'n i bob amsar. Mi ddyliach chdi wbod hynny.'

'Ond pam *designer amoeba*?' Er 'i fod o'n gneud 'i ora i swnio'n ddifatar, ro'n i'n medru deud wrth 'i lais 'i fod o wedi cael 'i bigo i'r byw.

'Pam ti'n meddwl? Am bo chdi'n rêl posar yn un peth, ac yn rhoi'r argraff bo' chdi'n *asexual,* fatha *amoeba*.'

Roedd 'na ddistawrwydd llethol ar ben arall y lein, ac am funud, meddylis 'i fod o wedi rhoi'r ffôn i lawr. Ond yna chwarddodd Gej. Chwerthiniad uchel, ffals.

'Hwrach 'u bod nhw'n iawn am y dillad *designer*, ond prin y gelli di 'nghyhuddo i o fod yn *asexual*… Gofyn di i Lowri,' ychwanegodd yn sbeitlyd, gan sylweddoli'n sydyn mae'n debyg na fuodd o rioed yn gymar nwydus iawn i mi.

'Ti wedi troi'n stalwyn dros nos felly? Jyst am dy fod ti wedi cael pwys o gnawd ifanc a hwb i dy ego. Blydi hel, Gej, nes i'm sylweddoli dy fod ti'n berson mor arwynebol o'r blaen. Mi oedd y lleill yn iawn amdanach chdi drw'r adag…'

'Be ti'n fedd…?'

Mi rois i'r ffôn i lawr yn ofalus – byddai 'i glepian wedi rhoi'r argraff, hollol gywir, 'mod i wedi gwylltio'n gacwn – cyn iddo gael cyfla i orffan 'i gwestiwn, efo'r boddhad o'i adal o yno'n corddi, ond eto'n rhy falch i'n ffonio fi'n ôl a mynnu cael gwbod be'n union roedd y lleill wedi'i ddeud amdano fo.

Nid y'ch bod chi wedi deud unrhyw beth amdano fo ers i mi ddechra canlyn efo fo ers talwm byd yn ôl – nid yn 'y ngŵydd i beth bynnag. Ond ers iddo 'ngadal i ro'n i *isio* i bobol ladd arno fo; isio'i frifo fo gymaint â phosib am yr hyn yr oedd o wedi'i neud i mi, er nad oedd gwbod 'i fod o'n diodda yn lleddfu dim ar 'y mhoen i.

'Byrhoedlog yw dialedd…'

Fedra i ddim meddwl am ddiweddglo i'r gwpled, ond mae o tu mewn i mi yn rwla, yn straffaglu i ddŵad allan. Achos dyna un peth am boen – mae o'n siŵr dduw o brocio'r bardd mewn pobol, hyd yn oed mewn cyn-hogan siop o Sgubs fel fi.

Alys

WEITHIAU MI FYDDWN i'n cael y teimlad bod Ratsh yn cystadlu efo fi, fel petai hi'n eiddigeddus ohona i neu rywbeth. Nes iddi ddechrau canlyn efo Gej a throi'n un o'r bobol rheini sy'n anghofio am eu ffrindiau unwaith y mae ganddyn nhw gariad.

Fel nifer o bobol eraill, roedd Ratsh yn amlwg yn meddwl 'mod i wedi cael magwraeth freintiedig. Yn edliw fy nghefndir dosbarth canol i mi ac yn meddwl eu hunain am iddyn nhw gael eu geni mewn tŷ cyngor efo tŷ bach yng ngwaelod yr ardd, saith o blant ym mhob llofft, tad ar y dôl, mam ar y gêm a'r holl ystrydebau diflas eraill. Snobyddiaeth tu chwith go-iawn.

Roedd Mam yr un fath. Wrth ei bodd yn cael dweud mor fain oedd petha arni hi a Dad yn ystod blynyddoedd cynnar eu perthynas pan oedd o'n fyfyriwr a hithau'n gorfod gadael y coleg a mynd allan i weithio er mwyn ei gynnal o. Mewn siop lyfrau yn ystod y dydd ac fel model (noeth, yn aml) i ddosbarth arlunio gyda'r nos. Rêl Mam – mi fasa unrhyw un arall wedi bodloni ar *Woolworths* a thafarn.

A phan fyddwn i'n dweud wrthi y basa'n rheitiach iddi fod wedi aros efo Yncl Gerallt, mi fydda hi'n cega am hynny wedyn – y ffaith bod gweinidogion cyn dloted â llygod eglwys, bod pwysau ar wragedd gweinidogion i ymddwyn yn barchus a byw yng nghysgod eu gwŷr. Trio cyfiawnhau'r hyn ddaru hi trwy feio pobl eraill.

'Fasach chdi ddim yn dallt. Ti 'di cael bywyd braf ers y dechra.' Yn gyhuddgar, fel petawn i wedi mynnu hynny pan ges i 'ngeni a gadael i bawb arall fynd i grafu.

Y gwir amdani oedd i mi gael fy ngeni am fod Mam isio llenwi'r twll a adawyd yn ei bywyd ar ôl i Arianrhod adael, ond roedd hi wedi canu arna i o'r dechrau i wneud hynny. Roedd Arianrhod yn fabi gwell na fi, yn blentyn gwell na fi – yn ymylu at fod yn blydi perffaith am nad oedd hi o gwmpas i Mam gael pigo ar ei beiau.

Suddodd Mam i bwl o iselder pan fudodd Gerallt i Ganada gan fynd ag Arianrhod efo fo. Mi driodd hi'i stopio fo i ddechrau, ond mynnodd y fechan mai efo'i thad roedd hi isio bod, a toedd gan Megan mo'r galon i'w gorfodi hi i aros efo hi.

Roedd yn rhaid iddi feddwl am 'nhad hefyd. Beth petai o'n ei gadael hi am nad oedd o isio magu plentyn dyn arall? Nid ei fod o wedi bygwth gwneud hynny, nac wedi gwarafun y ffaith bod Arianrhod yn dod i aros efo nhw bob yn ail benwythnos, ond roedd y ffaith na chynigiodd o'i magu hi yn dweud cyfrolau, neu felly y tybiai Mam. Ond dwi'n meddwl ei fod o jyst yn ddigon call a sensitif i sylweddoli mai efo Gerallt roedd ei lle hi. Roedd o wedi dwyn gwraig y creadur yn barod, felly onid creulondeb o'r mwya fyddai dwyn ei blentyn oddi arno hefyd?

O fod yn ddynes a fu mor ddifater ynghylch ei phlentyn, roedd hiraeth Mam am Arianrhod yn llethol ar ôl iddi fynd. Ac o fod yn ddynes a lwyddodd i adael ei theulu efo'r un rhwyddineb â chymaint o ddynion, cafodd ei phlagio gan y teimladau o euogrwydd ac edifeirwch roedd hi wedi llwyddo i'w hosgoi pan adawodd hi'r ddau ohonyn nhw am fy nhad.

Mi fasa'r hen Mabel Jones, ei chyn-fam-yng-nghyfraith, wedi cael modd i fyw tasa'r graduras ddim yn ei bedd.

Roeddwn i'n fabi drwg o'r dechrau. Yn ellyll sgrechlyd o uffern, yn ôl fy mam – a edliwiodd hynny i mi ar hyd ei hoes. Fel petai gen i unrhyw help am y peth!

'Duw'n fy nghosbi i eto mae'n siŵr!' meddai Mam, gan ddim ond hanner cellwair, wrth siarad efo Gerallt ar y ffôn rai misoedd ar ôl i mi gael 'y ngeni.

'Twt lol! Mae'n bwrw ar y cyfiawn a'r anghyfiawn, Megan,' oedd ei ateb doeth, cyn ychwanegu, 'Ond mi weddïa i drosoch chi fel teulu.'

Ond er gwaetha gweddïau Gerallt, toeddwn i ddim yn blentyn hawdd chwaith. Mae'n debyg y baswn i wedi cael fy niagnosio efo ADHD (*Attention Deficit Hyperactivity Disorder*) y dyddiau yma, oni bai am y ffaith 'mod i'n dofi ac yn medru canolbwyntio am oriau unwaith y byddai 'nhrwyn i mewn llyfr.

Roeddwn i'n llowcio llyfrau efo'r un awch ag yr oedd plant eraill yn llowcio petha da. Enid Blyton, T. Llew Jones, *Charlotte's Web* (roedd gen i *soft spot* am bryfaid cop am byth ar ôl darllen y nofel honno), nofelau'r Brontës, dramâu Noël Coward a cherddi R.S.Thomas. Mi fyddwn i'n pori weithiau trwy lyfrau celf fy mam hefyd, ac yno, yn eu plith, y des i ar draws bywgraffiad o Salvador Dalí.

Cafodd yr artist egsentrig hwn o Gatalan ei enwi ar ôl brawd iddo a fu farw cyn iddo fo gael ei eni. Ei fam isio llenwi'r bwlch a adawyd ar ei ôl, er na ddaru Salvador druan byth lwyddo i'w lenwi. Uniaethais efo fo ar fy union. Gorchuddiais waliau fy llofft efo'i luniau, â'r rhan fwya ohonyn nhw'n sbloetsys swreal, ar wahân i un llun – *Muchacha en la ventana* – o ferch yn edrych allan trwy ffenest ar olygfa o awyr a môr.

Merch efo gwallt brown, ffrog las a phen-ôl nobl. Welwch chi mo'i gwyneb hi, a phetaech chi hwyrach y basai hynny wedi difetha naws y llun. Llun na fydda i byth yn laru edrych arno na dyfalu yn ei gylch, er 'mod i'n gwybod mai chwaer Dalí oedd y fodel. Pwy ydi'r ferch? Be ydi'i hanes hi? Be sy'n mynd drwy'i meddwl hi wrth iddi syllu allan drwy'r ffenest?

Ond er bod gen i ddiddordeb mewn celf, fedrwn i ddim gwneud llun na phaentio dros fy nghrogi.

'Tynnu ar ôl dy fam felly,' medda Mal flynyddoedd yn ddiweddarach. Yn *true to nature*, toedd o erioed wedi cymryd at luniau haniaethol ei fam-yng-nghyfraith, gan ddweud bod angen sbio ar benna pobl oedd yn talu cannoedd o bunnoedd am y fath rwtsh.

Roedd yr olwg ar ei wyneb pan roddodd Mam un ohonyn nhw'n anrheg Dolig i ni un tro yn werth ei weld, yn enwedig pan ddeudodd hi y basa fo'n ffitio'n berffaith yn y bwlch gwag uwchben y lle tân yn ein stafell fyw.

Ffalsio ddaru o yn ei gŵydd hi wrth gwrs, gan fy ngadal i i wneud rhyw esgus tila dros beidio â gosod y llun mewn lle mor amlwg:

'Mae o'n mynd yn well efo lliwia'r llofft sbâr. Dan ni am symud y Kyffin i'r stafall fyw.'

'Ew, dach chi mor geidwadol,' medda Mam, gan frathu'i thafod rhag ychwanegu '*ac anniolchgar*'.

O'm rhan i, mi faswn i wedi hongian y llun yn y stafell fyw, gan fod llun haniaethol bob amser yn destun siarad os nad dim byd arall. Mi fyddai Mal hyd yn oed yn sefyll o'i flaen o weithiau gan ofyn pethau fel 'Be ydi o i fod yn union, 'lly? Mae o'n edrach fatha *hangover / bad trip* / llun gan fabi *colour blind* i mi,' ac yn dweud 'Gobeithio na chewch chi ddim hunllefa,' wrth bwy bynnag fyddai'n dod i aros yn y llofft sbâr – ar wahân i'm rhieni, wrth gwrs.

Roedd Mam wedi gwirioni pan glywodd hi bod Arianrhod wedi dechrau cael hwyl ar baentio ar ôl iddi roi bocs paent iddi un Nadolig.

'O leia ma un ohonach chi yn tynnu ar fy ôl i,' medda hi, fel taswn i wedi dewis peidio â chael dawn arlunio yn fwriadol er mwyn ei sbeitio hi.

Roedd hi'n edrych ymlaen yn fwy eiddgar nag arfer at ein gwyliau yng Nghanada yr haf hwnnw er mwyn cael gweld dyfrliwiau Arianrhod. Roedd rhan ohona i wedi gobeithio y basan nhw'n rhai sâl er mwyn cau ceg Mam, er mai dyna oedd fy marn i am luniau Mam bryd hynny hefyd. Mae plentyn yn licio gweld rhywbeth penodol mewn llun, nid dim ond lliwiau diystyr, yn enwedig pan fo plant eraill yn dweud wrthach chi yn y ffordd greulon, ddi-flewyn-ar-dafod 'na sy gan blant bod lluniau eich mam yn '*arty farty crap*'.

Mi gefais i andros o job cadw wyneb syth pan ddaeth Arianrhod â'i phortffolio allan i'w ddangos i ni. Dyfrliwiau bach twt, diddrwg-didda o bethau fel fasys o flodau, cathod bach ciwt a genod tlws fel tylwyth teg.

'Maen nhw'n dda iawn yn dechnegol,' medda Mam, gan osgoi dal llygad unrhyw un.

'Maen nhw'n dda iawn ffwl stop,' meddai Yncl Gerallt, gan roi *dig* i Mam am fod mor grintachlyd efo'i chanmoliaeth.

'Maen nhw'n *girlie* iawn,' medda fi.

'Alys!' ceryddodd Mam fi – yn rhagrithiol wrth gwrs, â finnau'n gwybod yn iawn ei bod hi o'r un farn.

'Rhaid i ni fynd ag un adre 'da ni,' medda Dad, ac er bod ei wyneb o fel wal roeddwn i'n gwybod ei fod yntau bron â thorri'r fol isio chwerthin hefyd.

'Hwyrach y gwnaiff hi ddatblygu arddull fwy soffistigedig pan fydd hi'n hŷn,' medda Mam yn nes ymlaen, allan o glyw Arianrhod a Gerallt. Toedd hi ddim yn swnio'n obeithiol iawn chwaith, a chlywson ni ddim mwy o frolio am ddawn artistig Arianrhod ar ôl hynny.

Ond er i Mam drio celu ei siom, roedd hi'n berffaith amlwg i Arianrhod druan nad oedd ei lluniau wedi creu argraff arni.

'Wnes i ddim disgwyl iddi hi'u licio nhw. Maen nhw mor wahanol i'w llunia hi. O leia mi roist ti dy farn yn onest.'

Er bod Arianrhod a finna mor wahanol, roeddan ni'n cyd-dynnu'n well na llawer o chwiorydd sy'n byw o dan yr un to. Ac wrth gwrs, roedd yna ramant fawr yn y ffaith ein bod ni'n perthyn mor agos ac eto'n byw mor bell i ffwrdd oddi wrth ein gilydd, a ddim ond yn gweld ein gilydd am ychydig wythnosau bob blwyddyn.

Roeddwn i wrth fy modd efo'r hafau rheini yn Woodstock, Ontario. Hafau hamddenol, heulog fel y dylai hafau fod, nid hafau Prydeinig o ddal eich gwynt wrth edrych ar yr adroddiadau tywydd bob nos yn y gobaith, ofer yn aml, y byddai'n brafiach drannoeth.

Roedd gan Yncl Gerallt bwll nofio bach yn yr ardd gefn, ac er i Arianrhod a finna dreulio oriau yn sblasio a chwarae o gwmpas ynddo, roedd yn well gen i fynd i lawr i'r pwll nofio cyhoeddus awyr agored – neu'n well fyth i'r llynnoedd yn y parciau – i nofio a thorheulo a llygadu'r hogia.

Ond pan fyddai'r hogia yn dod aton ni i siarad, mi fyddai Arianrhod yn mynd i'w gilydd i gyd. Nid yn y ffordd swil, slei yna sy gan rai genod, ond fel tasa'u presenoldeb nhw yn ei gwneud hi'n wirioneddol anghyfforddus. Roeddwn i'n meddwl ar y pryd mai'i magwraeth hi oedd wedi'i gwneud hi mor *prim and proper*, ond wrth sbio'n ôl ac o wybod be dwi'n ei wybod amdani rŵan, dwi'n sylweddoli nad oedd ganddi ddiddordeb ynddyn nhw o gwbl.

Mor wahanol i mi. Fel y rhan fwya o genod yn eu harddegau, roeddwn i wedi gwirioni ar hogia, ac yn cael cryshys arnyn nhw byth a hefyd. Cryshys llawn gwewyr oedd yn teimlo fel cariad nes i mi gael yr hogyn, laru arno fo a mopio 'mhen o'r newydd ar hogyn arall.

Yn bymtheg oed, collais fy ngwyryfdod i sipsi hirwalltog digon golygus o'r enw Owen Ryan, sy'n swnio'n reit ramantus efallai, er bod y realiti yn llawer mwy annymunol.

I'r fynwent yr aethon ni, o bob man, a thaenodd Owen ei gôt Parka dros un o'r cerrig beddi gwastad er mwyn i mi orwedd arni. Roedd y boen yn arteithiol – eitha gwaith â mi, dwi'n gwybod – a bu'n rhaid iddo fy hanner cario'n ôl i'r disgo wedyn wrth i'm coesau roi oddi tana i.

'Trio cael gwarad ohona i rŵan, wyt?' medda fo wrth i mi faglu yn ei erbyn, gan afael amdana i'n dynnach a chusanu fy nhalcen yn dyner.

Ond mi froliodd y bastad am ei goncwest wrth ei fêts i gyd wedyn. Ac wrth gwrs, tra'i fod o'n cael ei ystyried yn rêl boi, roeddwn inna'n cael fy ystyried yn rêl un – yn enwedig â finna'n hogan ddosbarth canol, barchus a ddylai wybod yn well.

Erbyn hynny roedd Arianrhod wedi symud yn ôl i Gymru i fyw, a finna wrth fy modd bod gen i chwaer fawr ddiniwed i'w siocio.

'Sut fedrach chdi, Alys?' meddai ar ôl i mi ddweud wrthi am Owen. 'Sgen ti ddim hunan-barch? A chditha dan oed hefyd! Mi fasa fo'n medru mynd i'r jêl am be ddaru o i ti.'

'Protocol rhywiol ydi o, dyna'r cwbwl,' atebais innau'n jarfflyd. 'Be 'di'r ots os ydw i'n cael secs rŵan neu flwyddyn nesa? *So what* os ydw i'n torri'r gyfraith? Mae'r gyfraith yn blydi hurt eniwe.'

'Ond be am dy enaid di, Alys? Sut fedrach chdi roi dy hun mor rwydd i rywun ti ddim hyd yn oed yn ei garu? Ti'm yn teimlo'n rhad?'

Mi oeddwn i â deud y gwir – yn rhad ac yn fudur – ond wnes i ddim cyfadda hynny i Arianrhod. Wnes i ddim cysgu efo unrhyw un ar ôl hynny nes roeddwn i mewn perthynas sefydlog dair blynedd yn ddiweddarach. Ond ar ôl i'r berthynas honno fynd i'r gwellt, mi es i'n wyllt eto am gyfnod. Nes i mi gyfarfod Ifor.

Cafodd Arianrhod rywfaint o ddylanwad da arna i felly, er bod Mam yn dal i fynd ar fy nerfau i trwy ddweud pethau fel: '*Pam na fedri di fod yn hogan dda fatha Arianrhod?*' Nid am bethau penodol bob amser, jyst am fod yn fi fy hun. Doedd o ddim yn beth neis iawn i Arianrhod chwaith, gan y baswn i wedi medru troi'n ei herbyn hi o'r herwydd.

'Dan ni'n wahanol am nad oes gennon ni'r un blydi tad i ddechra arni, ac am nad ydi Arianrhod wedi cael ei magu gan hen jadan flin fatha chdi!' gwaeddais ar Mam yn y diwedd, gan ddifaru'n syth ar ôl i mi agor 'y ngheg. Nid rhag ofn mod i wedi'i brifo hi, ond am 'mod i'n gwybod y basa hi'n ffeilio hynny yn y drôr 'Dal Dig' yn ei phen.

Rhowch rywun efo tymer wyllt i mi bob tro yn hytrach na rhywun sy'n edliw a chadw cofnod o bob sarhad. Y rheini ydi'r bobl i'w hofni, nid y rhai sy'n gwylltio'n gacwn. O leia mae'r mylliwrs yn ei gael o allan o'u system, tra bod y lleill yn ei storio, yn barod i'w ddal yn eich erbyn pan fyddwch chi wedi hen anghofio'r ffrae.

Ond yn gwbl groes i'r disgwyl, roedd Mam yn gleniach efo fi ar ôl hynny.

'Ti'n iawn,' medda hi wrtha i wedyn, 'dwi wedi bod yn hen jadan efo chdi dwi'n cyfadda. Ond tydi hi ddim yn hawdd i finna chwaith cofia, â dy dad i ffwrdd gymaint. A twyt titha ddim y rhwydda o'r genod i'w magu.'

Wel, cleniach ddeudis i, nid clên yn union. Er hynny, mi fedrwn i gydymdeimlo efo'i phwynt hi ynglŷn â Dad. Ffigwr pell, rhamantus oedd 'nhad i mi i raddau – yn troedio coridorau grym San Steffan ac yn byw yn ei fflat paneli derw yn Putney yn ystod yr wythnos. A'r peth ola roedd Mam a finna isio'i wneud pan ddeuai o adra ar benwythnosau fyddai'i boeni fo trwy achwyn. Mi gafodd yr hen gena hi'n rhwydd yn hynny o beth.

Yn fuan ar ôl dychwelyd i Gymru, aeth Arianrhod i'r Tec ym Mangor i wneud cwrs ysgrifenyddol, a chael gwaith fel ysgrifennydd yn Adran Briffyrdd y Cyngor Sir yn syth ar ôl gadael.

Fan'no ddaru hi gyfarfod Alun: boi *steady*, digon clên, ond braidd yn ddiflas. Rêl gweithiwr swyddfa: y math y byddwch chi'n eu gweld yn cerdded o gwmpas Dre amser cinio yn eu coleri a'u tei a'u hanoracs.

Mi es i allan efo un ohonyn nhw unwaith, jyst o ran chwilfrydedd, gan feddwl ella y baswn i'n dod o hyd i ryw garwr tanbaid neu gymeriad magnetig o dan y wedd allanol ddi-fflach. Ond ar ôl dau ddêt roeddwn i wedi hen ddiflasu ar wrando arno'n mwydro am golff, a phan ofynnodd o i mi fynd i chwarae golff efo fo, roeddwn i'n gwybod ei bod hi'n bryd deud ta-ta.

Be ydi o am weithwyr cyngor sir a golff? Roedd Alun yr un fath, efo'i jympyrs Pringle a'i weithio *flexi* er mwyn cael pnawniau Gwener yn rhydd i 'fynd am swing'.

Ddaru Arianrhod erioed roi'r argraff ei bod hi dros ei phen a'i chlustiau mewn cariad efo Alun chwaith. Doedd ei llygaid hi ddim yn pefrio fel roeddan nhw yng nghwmni Glenys. Dyna pam, yn rhannol, y penderfynodd Mam a finna ei thaclo hi pan ddaru nhw gyhoeddi eu dyweddïad rai misoedd ar ôl iddyn nhw ddechra canlyn.

'Wyt ti'n siŵr dy fod ti'n gwneud y peth iawn, Arián?' gofynnodd Mam.

'Be dach chi'n feddwl?'

'Yn prodi mor fuan.'

'Tydi'r brodas ddim tan ha' nesa.'

'Ddim dyna o'n i'n ei feddwl. Ti'm yn meddwl y dyliach chi fyw efo'ch gilydd am sbel gynta er mwyn gwneud yn siŵr eich bod chi'n siwtio?'

'*Sexually compatible* ma hi'n feddwl,' medda fi.

'Naci tad!' medda Mam.

'Ia tad!' mynnais innau.

'Wel, yn rhannol ella. Ond mae'n bwysig eich bod chi'n *compatible* mewn petha erill hefyd.'

'Ti wedi cysgu efo fo, 'n do?' gofynnais.

'Alys!' medda Mam, er 'mod i'n gwybod ei bod hitha isio gofyn yr un peth.

'Tydi hynna'n ddim o dy fusnes di!' atebodd Arianrhod, â'i gwrychyn wedi codi.

'Naddo, 'lly.'

'Ti'n meddwl bod hynny'n beth call, Arián?' gofynnodd Mam. 'Ti'm isio prodi rhywun a ffeindio wedyn, yn rhy hwyr, nad y fo ydi'r dyn i chdi, nag wyt?'

'Fatha chi a Dad dach chi'n feddwl?'

'Wel, naci – ddim yn union…'

Edrychodd Arianrhod i fyw ei llygaid cyn ateb:

'Nid dyna sut ces i fy magu, Mam. Yn wahanol i Alys.' Ac ar hynny dyma hi'n troi ar ei sawdl a cherdded allan o'r stafell â'i thrwyn yn yr awyr.

'*Dig* i bwy oedd hynna – chdi neu fi?' gofynnodd Mam.

'Ni'n dwy, dwi'n meddwl,' atebais innau, a dyma ni'n dwy yn sbio ar ein gilydd a dechrau piffian chwerthin fel genod bach drwg.

Ond mi fasai'n rheitiach petai Arianrhod wedi gwrando arnon ni, gan iddi ddarganfod yn rhy hwyr – ac er mawr arswyd iddi hi'i hun – ei bod hi'n lesbian. Y graduras! Yn gwneud y peth parchus o briodi a chael plant efo dyn nad oedd hi'n ei garu go-iawn, ac yna'n darganfod wrth rannu stafell efo Glenys yng nghynhadledd flynyddol Merched y Wawr nad oedd hi'n 'normal' o gwbl.

Roedd hi wedi trio gwadu ei theimladau i ddechrau, wedi trio dileu'r atgof am y penwythnos tyngedfennol hwnnw, wedi trio osgoi Glenys am bron i fis. Mi ddeudodd ei chyfrinach wrtha i, am fod yn rhaid iddi gael dweud wrth rywun, gan hanner disgwyl i mi chwerthin a dweud bod pawb yn cael rhyw brofiadau felly, ond pan rythais arni mewn syndod mud roedd hi'n gwybod ei bod hi wedi gwneud rhywbeth difrifol iawn.

Ond ildio i'w theimladau tuag at Glenys ddaru hi'n y diwedd.

'Wedi'r cyfan, does yna ddim byd yn y Beibl yn erbyn *merched* yn caru efo'i gilydd, nag oes?' meddai.

'Na chyfraith yn ei wahardd,' ychwanegais innau.

'Hwyrach nad ydi o hyd yn oed yn cyfri fel godineb felly!' medda hithau'n obeithiol.

Yn yr un ffordd nad oedd Bill Clinton wedi cael affêr efo Monica Lewinsky am nad oeddan nhw wedi cael cyfathrach rywiol, meddyliais innau, er na ddywedais i hynny wrth Arianrhod.

Maen nhw'n dweud mai dyddiau coleg ydi dyddiau gorau eich bywyd chi. Doedd hynny ddim yn hollol wir yn fy achos i.

Yn un peth, roedd mynd i Neuadd Pantycelyn fel dychwelyd i'r ysgol gynradd ar ôl soffistigeiddrwydd y chweched dosbarth. Cymaint o fyfyrwyr yn gwirioni ar eu blas cynta o benrhyddid ac yn ymddwyn fel plant afreolus oedd, serch hynny, yn dilyn traddodiadau'r neuadd yn slafaidd.

Peidiwch â 'nghamddallt i. Roedd pawb yn glên ar y cyfan, a dim ond cnewyllyn bach o bobl annifyr – neu bobl oedd yn annifyr efo fi o leia. Ond roedd hynny i'w ddisgwyl mae'n debyg oherwydd pwy oeddwn i – merch i'r 'Pleidiwr Pomên', fel y galwyd ef gan *Lol*. Hyd yn oed taswn i wedi cydymffurfio a chadw 'ngheg fawr ar gau, mi fasa 'na rai pobl wedi cymryd yn fy erbyn i oherwydd hynny beth bynnag.

Ond, er gwaetha popeth, mi wnes i rai o ffrindiau gorau 'mywyd yn y coleg. Criw bach o 'misffits' oedd yn tynnu'n groes, nid dim ond er mwyn tynnu'n groes ond am nad oeddan ni isio i bobl eraill ddweud wrthon ni be i'w wneud. Pa nosweithiau i fynd allan? Nos Fercher a nos Sadwrn. Efo pwy y dylen ni gymdeithasu? Efo nhw, y Cymry Cymraeg eraill, cyn belled â'u bod nhw heb ddewis byw mewn neuaddau 'Seisnig'. Pwy i beidio â chymdeithasu efo nhw? '*FEBs*' – acronym am *Fucking English Bastards*, sef unrhyw un nad oedd yn ddigon Cymreig yn eu tyb nhw.

'Ffasgiaeth sefydliadol!' taranodd Meinwen y tro cynta i mi'i chyfarfod hi, gan lenwi drws fy stafell fel bownsar wrth i mi ddadbacio.

'Sorri?'

'Meinwen Jôs,' meddai, gan estyn ei llaw. 'Sôn am y lle 'ma o'n i. Mi fasa Saunders Lewis wrth ei fodd yma, tasa'r stiwdants ddim yn gymaint o dwats di-glem. Alys Palance, *I presume*?'

Cliciodd rhywbeth rhyngon ni'n syth. Roedd Meinwen yn medru bod yn dipyn o ddraig mewn rhai ffyrdd, ond roedd 'na ochr arall iddi hefyd. Y ffrind ffyddlon oedd yn fwy na pharod i gadw'ch cefn chi mewn ffrae.

'Mae'r Alys Palance 'na'n *too much*!' meddai un ferch yn fwriadol uchel pan feiddiais i leisio barn bersonol mewn cyfarfod UMCA un tro. Awgrymu wnes i y dylai myfyrwyr Cymraeg ymuno â'r NUS, Undeb y Myfyrwyr Cenedlaethol, er mwyn Cymreigio'r undeb hwnnw ac osgoi bod yn rhy ynysig. Ond wfftio'r awgrym ddaru nhw wrth gwrs.

'Wel os ydi hi'n *too much*, mi wyt titha'n *too little*,' meddai Meinwen fel siot. Nid yn gas, dim ond digon i wneud i'r ferch gochi ac i bawb arall chwerthin.

Offeiriad oedd tad Meinwen. Offeiriad ac *exorcist*. Dyn ecsentrig, fel y basa rhywun yn ei ddisgwyl, a'i mam hi wedyn yn un o'r gwragedd diymhongar hynny oedd yn ddigon bodlon byw yng nghysgod eu gwŷr.

Ffrind arall i ni oedd Gej, hogyn siop jips o'r Bala. Geraint i'w fam a'i dad, John ac Eleri. (Hyd y gwelwn i, Eleri oedd enw bob yn ail ferch yn y Bala.) Roeddan nhw wedi gwirioni pan aeth eu hunig fab i'r brifysgol – yr aelod cynta o'r teulu i wneud hynny – a'u siom gymaint â hynny'n fwy pan benderfynodd o adael ar ôl methu arholiadau ei flwyddyn gynta a mynd i weithio fel rheolwr siop recordiau.

Roedd rhedeg siop yn ei waed yn amlwg, er y basai'n well ganddo fo fod yn giamstar ar chwarae gitâr fel Crallo. Ond o leia roedd Gej yn ymwybodol o'i hyd a'i led ei hun fel cerddor, yn wahanol i gymaint o hogia eraill a ymunai â bandiau am mai dyna'r *in thing* i'w wneud.

Eithriad oedd Crallo. Roedd o'n seren naturiol. Yn greadur mor cŵl fel nad oedd o wedi trafferthu mynd i fyw mewn neuadd breswyl o gwbl. Myfyriwr drama oedd o, fel Meinwen a finna.

'Pen bach!' meddai Meinwen amdano ar ôl i ni'i gyfarfod o am y tro cynta.

'*Battleaxe*!' meddai yntau amdani hi. Ond roedd hi'n ddigon hawdd dweud eu bod nhw'n licio'i gilydd go-iawn.

Ffrindiau oeddwn i a Crallo. Ffrindiau da, a dim byd arall. Roeddwn i wrth fy modd yn ei gwmni, yn mwynhau cael fy ngweld yn ei gwmni, ond yn ddigon call i sylweddoli y byddai'n cyfeillgarwch ni'n cael ei chwalu petaen ni'n mynd â'n perthynas gam ymhellach.

A hyd yn oed taswn i wedi isio bod yn fwy na ffrindiau, roeddwn i'n rhyw fudur amau nad oedd Crallo yn fy ffansïo i beth bynnag. Oedd ots gen i? Ocdd, i raddau. Bron nad oeddwn i'n disgwyl i ddynion fy ffansïo i'n awtomatig bryd hynny, efo'r hyder haerllug yna sy gan bobol ifanc a del. Ond, ar yr un pryd, roedd o'n brawf bod Crallo yn fy licio i fel person – sy'n llawer pwysicach yn y pen draw. Neu felly y cysurais i fy hunan beth bynnag.

Crallo

TASE 'NA DRAC SAIN i'n bywyde ni fel sy 'na mewn ffilmie, *Girlfriend in a Coma* gan The Smiths fydde'n cael ei whare nawr.

Ti'n cofio honna, Alys? Wrth gwrs bo' ti. W'en ni'n dou yn ffans mawr o'r Smiths 'nôl yn niwedd yr wythdege, yn treulio sawl nosweth yn 'ymdrybaeddu mewn angst stiwdantaidd' wrth wrando ar Morrissey yn canu clasuron fel *Heaven Knows I'm Miserable Now, Last Night I Dreamt Somebody Loved Me* a dy ffefryn di, *There is a Light that Never Goes Out.*

W'en i wedi gobeitho cwrdd â Morrissey pan w'en i yn L.A. Wedd 'da fi'r freuddwyd 'ma y bydden ni'n tyfu'n ffrindie mynwesol ac yn anfon ffacsys ffraeth at ein gily', achos dim ond trwy ffacs wedd Morrissey'n gohebu 'da pobl. Ond jibo wnes i pan ges i'r cyfle i gwrdd â fe (rhywun o'r diwydiant wedi cynnig 'y nghyflwyno i iddo fe) rhag ofn y bydde fe'n meddwl 'mod i'n ffwl dwl. Wedi'r cyfan, wedd e ddim yn rhy hoff o bobol ar y gore.

Dwi'n gwbod o brofiad mor unochrog y gall perthynas rhwng ffan ac eilun fod. Achos beth sy 'na ar ôl i'w weud ar ôl i ti weud wrth rywun gyment ti'n eu hedmygu nhw? Dim byd ond chwithdod yn amal, os nad wyt ti'n grŵpi ac yn fodlon aberthu dy hunan-barch jyst er mwyn cael jymp 'da rhywun enwog.

Ti'n cofio ti'n 'y 'nghyhuddo i, dan jocan, o fod yn *name-dropper* pan sonies i am y sesh 'na ges i 'da Meic Stevens yn y

Ship yn Solfach? Fy ymateb i wedd gweud bod yn rhaid i rywrai nabod pobol enwog – allan nhw ddim bodoli mewn faciwm, yn enwedig mewn gwlad fach fel Cymru.

Er, flynydde'n ddiweddarach, sylweddoles i fod lot o selebs *yn* byw mewn faciwm, gan osgoi llefydd a phobol gyffredin fel y pla – hynny yw pan na w'en nhw'n edrych i lawr arnyn nhw oddi ar lwyfan neu'n codi llaw arnyn nhw'n nawddoglyd mewn *premières* ac ati. Prats llwyr, y rhan fwya ohonyn nhw, yn enwedig y rhai didalent.

Yr hen Meinwen Jôs ffônodd fi i sôn am y ddamwain, jyst fel w'en i'n gadel am Aber.

'*Some mad Welshwoman on the phone for you!*' medde Isis ar dop ei llais.

'Pwy oedd honna – dy ferch di?' gofynnodd Meinwen, gan wbod yn iawn nad os plant 'da fi.

'Fy narpar wraig i.'

'O,' medde hi mewn tôn feirniadol. 'Y fodel.'

'Gei di gwrdd â hi yn yr aduniad.'

'Crallo…'

'Cyn i ti weud dim byd, wy'n gwbod nad yw partneried yn cael dod, ond ma Isis moyn cwrdd â phawb. Wnaiff hi ddim aros…'

'Dwi 'di canslo'r aduniad.'

'Beth?!'

'Ma Alys 'di cael damwain.'

'Beth?' Rhedodd yr ias ddiarhebol i lawr 'y nghefen i. 'Shwt fath o ddamwen?'

'Damwain car ar y ffordd yma.'

'Odi ddi'n iawn? Dyw hi ddim wedi…?'

'Mae hi yn *Intensive Care*. Mewn coma.'

'Yn lle?'

'Ysbyty Gwynedd.'

'Dwi ar yn ffordd 'no nawr…'

Penderfynodd Isis beidio dod da fi, er bod Ebony wedi mynd am *'sleepover'* i dŷ un o'i ffrindie. Dim llawer o apêl mynd i weld menyw anymwybodol mewn sbyty, ma'n debyg, er na wedodd hi mo hynny.

Merch Isis yw Ebony. Ebony Ivory. Enw braidd yn ddwl wy'n gwybod, ond un sy'n sefyll mas ymhlith yr holl Elin Angharads ac Angharad Elins yn yr ysgol, lle ma ddi wedi dysgu Cwmrag yn barod ac yn ei siarad dag acen galed gyfryngol Caerdydd. Deg oed ac yn edrych fel model yn barod, yn gwmws fel 'i mam gyda'i chro'n *café-au-lait*, 'i choese hir a'i hwyneb perffeth.

Model 35 oed yw Isis – hanner Ethiopes, hanner Saesnes. Siarp fel siswrn. Pymtheg mlynedd yn ifancach na fi ond yn llawer mwy aeddfed!

Bron i fi gael haint pan glywes i fod Gej wedi gadael Ratsh am ddarlithwraig ifanc. Darlithwraig! Sai eriod wedi bod 'da un o'r rheini. *It Girls, Bond Girls*, models, sêr sebon, sêr pop, do, a'r rhan fwya ohonyn nhw'n fimbos, ond eriod gydag unrhyw fenyw sy'n dibynnu ar 'i breins am fywolieth.

Ratsh druan. Rhaid i fi fynd i'w gweld hi 'to cyn hir, er nad yw hi'n hawdd bod yn 'i chwmni ddi â hithe mor grac a chignoeth. Dries i chael hi i ddod i'r aduniad – meddwl falle y bydde fe'n neud lles iddi fynd mas a chymdeithasu – ond gwrthod nath hi:

'Aduniad coleg? Fues i rioed mewn coleg, naddo? Thico o Gaernarfon ydw i, cofia. *Cast-off past-it,* sy 'di trio'n galad i wella'i hun, ond yn amlwg wedi methu.'

'Dere 'mlân, Ratsh…'

'A be os bysa Gej yno – efo *hi*? Mi faswn i'n teimlo'n rêl llo wedyn, yn baswn? Pawb yn pwyntio ata i, yn chwerthin ar 'y mhen i, neu'n waeth fyth, yn fy *mhitïo* i!'

'Fydd Lowri ddim na, weden i.'

'Ond ti'n mynd ag Isis efo chdi.'

'Dim ond i ddechre…'

'I'w dangos hi fel rhyw *trophy wife*! Beryg mai dyna bydd Gej yn ei neud hefyd. *Sbiwch arna i – wedi ffeirio'r hen groc am fodel newydd sbon!*'

'Hei, dal sownd nawr, Ratsh…'

'O, sorri, dwi 'di twtsiad nerf, do? Tydi o ddim yn gneud i chi edrach yn fengach, sti.'

'Beth?'

'Y ffaith eich bod chi efo genod iau. Os rhwbath, gneud i chi edrach yn hŷn mae o. Heb sôn am pathetig!'

'Dyw Isis ddim mor ifanc â 'ny.'

'Ond tydi hi ddim 'run oed â chdi nacdi, a ma hi jyst yn digwydd bod yn *supermodel*. Go brin y basach chdi wedi cael dy ddenu ati hi o gwbwl tasa hi'n stwcan fach ddiolwg!'

W'en i'n moyn protestio, moyn dweud 'mod i'n caru Isis fel person a dim am y ffordd wedd hi'n edrych, ond fydde hynny heb fod yn hollol wir. Tase hi'n cael ei hagru gan salwch neu ddamwen, bydden i'n dal yn 'i charu ddi wrth gwrs, ond rhaid i fi gyfadde taw achos bod hi'n bishyn pert, hynny ddaliodd 'yn sylw i i ddechre. Harddwch sy'n dal i fy llenwi i 'da gwefr a balchder, yn enwedig pan fydda i'n 'i chyflwyno ddi i bobl am y tro cynta a gweld 'u llyged nhw'n lledu mewn edmygedd neu eiddigedd, ond wastad mewn rhyfeddod.

Sorri am glebran gyment, ond Meinwen wedodd y dylen i siarad 'da ti. Ac mae'n deimlad od, Alys, dy weld ti'n gorwedd mor dawel a llonydd, yn grondo arna i, falle, heb ateb nôl! Ddim fel ti o gwbl! Fy hen *partner in crime* – neu *partner in wine* o leia. Mae 'na elfen o *déjà vu* ynddo fe 'fyd, yn fy atgoffa o'r gwyliad hir wrth wely 'nhad y llynedd.

Y peth od wedd taw 'ngreddf cynta i ar ôl i fi siarad 'da Meinwen wedd ffôno Dad i weud wrtho fe amdanot ti, ond allwn i ddim yn hawdd iawn – ddim heb *hotline* i'r nefodd beth bynnag. Dim dyna'r tro cynta i fi neud 'ny 'fyd – teimlo fel codi'r ffôn i siarad 'da Dad ac yna cofio'n sydyn 'i fod e wedi… mynd.

Mae marw'n air rhy derfynol i fab y mans fel fi sy eriod wedi cweit llwyddo i fod yn anffyddiwr. Ac er na fyddwn i'n cyfadde'r peth ar goedd, mae 'na gysur i'w gal o deimlo bod Dad yn dal i fodoli, mewn rhyw ffurf, ar ryw lefel arall uwch, a bod 'na ryw fath o delepathi rhyngon ni. Dim bod 'ny'r un peth â siarad 'da'r dyn o gig a gwa'd wrth gwrs, ond mae e'n well na dim.

W'et ti a Dad yn dipyn o ffrindie. Dou ened hoff gytûn yn y bôn, er 'ych bod chi'ch dou mor wahanol yn allanol: Dad yn weinidog a tithe yn *wild child* wedd yn joio'r bywyd gwyllt a chas.

Ti'n cofio ti'n dod i aros i Sir Benfro un tro, a'r ddou ohonon ni'n mynd i'r capel ar ôl cal yffach o sesh y noson cynt? Yn Solfach 'to, gan taw lle gwael ar y diawl am dafarne yw Tŷ Ddewi. Feddylies i'n siŵr y bydde'n rhaid i ti redeg mas o'r capel i whydu, ond wedyn dechreuodd Dad ddarllen cerdd gan E. E. Cummings yn 'i lais soniarus:

> *no time ago*
> *or else a life*
> *walking in the dark*
> *i met christ*
>
> *jesus)my heart*
> *flopped over*
> *and lay still*
> *while he passed(as*

close as i'm to you
yes closer
made of nothing
except loneliness.

Wedd 'na neges wedyn wrth gwrs, ac ugen muned o bregeth am unigrwydd Crist â phobol yn troi eu cefne arno fe, ond w'et ti wedi cael dy gyfareddu: dim gan y bregeth yn gyment, sai'n credu, ond gan y ffaith bod Dad yn gyfarwydd ag un o dy hoff feirdd di.

Wedest ti wrtho fe wedyn y byddet ti'n mynd i'r capel yn amlach o lawer tase pob pregethwr fel fe, ond bod y rhan fwya ohonon nhw naill ai'n swch-syber neu'n perthyn i'r criw Duw *happy clappy* gyda'u gitârs a'u gwenu manig.

Dwi'n meddwl bod Dad wedi gobitho y byddet ti a fi yn troi mas i fod yn fwy na ffrindie, ond nethon ni ddim, diolch byth, gan y bydde 'ny wedi rhoi'r *kibosh* ar ein cyfeillgarwch ni. W'et ti ddim 'y nheip i ta beth – merched *petite* pryd tywyll a thawel sy wastad wedi mynd â 'mryd i, tra bo ti'n llond llaw o ferch mewn mwy nag un ffordd!

Ma'n siŵr bod 'na ryw esboniad Freudaidd am 'yn chwaeth i mewn menwod, gan taw menyw dywyll, eiddil wedd Mam yn ôl 'i llunie hi, er nad os 'da fi gof ohoni mewn gwirionedd gan iddi hi farw o ganser y fron pan w'en i'n dair oed.

Yr unig fenyw dwi'n ei chofio yn tŷ ni pan w'en i'n fach yw Mrs Matthews. Cloben fawr fishi wedd hi yn dod draw i gymoni a chwcan, gan wneud ffýs mowr ohona i. Corff fel sached o dato a breichie fel dou slabyn o ham. Halen y ddaear o fenyw, er bod rhan ohona i yn ei chasáu ddi am fod mor llawn bywyd tra wedd y fenyw fach bert yn y llun wrth erchwyn 'y ngwely i wedi marw.

Yn y coleg ges i grysh anferth ar roces o'r enw Sara Rheidol – ti'n cofio? Shwt allet ti bido? Y math o roces fach dene 'da gwallt byr, byr sy'n cael ei disgrifio fel *waif*. Myfyrwraig ddrama fewnblyg, wedd byth yn gwenu ac yn edrych trwy bobol gyda dirmyg hollol cŵl.

'Hen drwyn o hogan – pwy ddiawl mae'n feddwl ydi hi?' medde ti, a finne'n achub cam Sara er nad o'n i'n nabod y ferch.

'Ond be ti'n weld ynddi hi, Crallo? Hen beth sych sy'n meddwl 'i bod hi'n well na phawb arall.'

'Ma 'na ryw ddirgelwch ambwyti ddi...' mentrais.

'Dirgelwch, myn uffar i! Ma'r hogan yn blydi *sociopath*, tasach chdi'n gofyn i fi.'

A dyna ddiwedd ar y sgwrs. Achos unweth w'et ti wedi cymryd yn erbyn rhywun, wedd hi'n ta-ta ar y person 'na wedyn, a wedd dim pwynt trial newid dy feddwl di.

Daeth 'y nghyfle i ddod i nabod Sara Rheidol pan benderfynodd yr Adran Ddrama wneud cynhyrchiad Cymraeg o *The Crucible,* gyda ti'n cyfarwyddo, fi fel John Proctor a Sara fel Abigail Williams, y demtwraig sy'n fy hudo oddi ar y llwybr cul – cyn i mi ddod at fy nghoed a dychwelyd at fy ngwraig faddeugar, ddaionus, ddiflas.

W'en i wedi cyffroi'n lân wrth feddwl am wneud *sex scene* gyda Sara, er ei bod hi'n amlwg na wedd hi'n teimlo'r un peth tuag ata i.

'Tyd yn d'laen, Sara – gafal ynddo fo, nei di! Chdi sy'n ei hudo fo i fod, felly rho'r gora i fod mor blydi *coy*!' gwaeddest ti arni. Yn grac, ond ar yr un pryd wrth dy fodd gan fod hyn yn profi bod Sara yn ffaelu acto.

Aeth pethe o ddrwg i wath wedi 'ny, gyda Sara'n troi lan yn hwyr i bob ymarfer, ac ambell waith ddim yn trafferthu troi lan o gwbwl. Rhoddest ti sawl cyfle iddi, Alys – dim o garedigrwydd dy galon, ond am y bydde'r pleser o roi'r sac i

Sara yn fwy melys o wbod dy fod ti wedi gwneud 'ny am reswm da.

'Pwy ti'n feddwl w't ti – Marilyn Monroe?' medde ti wrthi un bore pan gerddodd Sara i mewn i'r ymarfer ddwy awr yn hwyr.

'Y beth dew *overrated* honno?' atebodd Sara.

Edrychest ti arni mewn arswyd cegagored am eiliad neu ddwy cyn dod o hyd i dy dafod.

'Wel, ma hi'n ddelach o beth wmbrath na ryw bin bric o beth fatha chdi – heb sôn am fod yn well actores!'

'Sdim rhaid i fi gymryd hyn!' atebodd Sara'n felodramatig. Rhaid i mi gyfadde ei *bod* hi'n actores sâl, er na fydden i wedi cyfadde 'ny ar y pryd.

'Paid â'i gymryd o, 'ta. Sneb yn gofyn i chdi aros.'

Heblaw amdana i, medde llais bach y tu mewn i fi, cyn mentro pledio'n uchel: 'Rho gyfle arall iddi, Al...'

'Cyfla arall? Ma hi 'di cal dwn i'm sawl cyfla arall yn barod! *Fi* sy'n cyfarwyddo, a dwi'n disgwyl i bob aelod o'r cast a'r criw roi o'u gora i'r cynhyrchiad 'ma neu mi fyddan nhw allan ar eu tina – dallt?'

Nodiodd pawb yn nerfus, gan dy fod ti'n fwystfil reit frawychus yn dy dymer. Y llyged gwyrdd 'na'n fflachio fel llafn cyllell a dy frychni haul di'n sefyll mas yn erbyn dy groen gwyn.

'Sai ishe bod yn y cynhyrchiad cachu 'ma, ta beth,' medde Sara. 'Da fi well pethe i neud â'n amscr...'

'Fatha be, 'lly? Cerddad o gwmpas y lle'n trio edrach yn cŵl a cnoi fala fatha wiwar fach bwdlyd, ia?'

Daliodd pawb eu gwynt, wedi'u syfrdanu dy fod ti wedi mentro mor agos at yr asgwrn. W'en i'n disgwyl sgarmes wrth i chi'ch dwy sgewcan ar eich gilydd fel dwy gath wyllt. Ond ar ôl sbel o edrych fel y diawl arnot ti, cerddodd Sara mas. Mas o'r cynhyrchiad a mas o 'mreuddwydion i, gan adel pawb yn sefyll obwytu yn yr awyrgylch anesmwyth heb wbod beth i'w wneud na'i weud.

'Be newn ni nawr?' mentrodd un person dewr o'r diwedd.

'Be ti'n feddwl?'

'Pwy sy'n mynd i gymryd rhan Abigail?'

'Fi!' atebest ti.

'*A* chyfarwyddo?' holodd Meinwen.

'Pam lai?'

'Mi wna i gyfarwyddo os ti'sio,' cynigiodd Meinwen, wedd yn meddwl 'i hunan yn dipyn o Alfred Hitchcock – ac yn edrych dipyn bach fel fe 'fyd.

'Iawn, 'ta. Fi i gymryd rhan Abigail. Iawn Crallo? Felly gwatsia dy hun. A Meinwen i gyfarwyddo.'

Gwenodd Meinwen yn bles.

'Diolch Al,' glywes i hi'n dweud wrthot ti wedyn. 'Ond dwi'm yn meddwl y dylia chdi fod wedi bod mor llawdrwm ar Sara sti.'

'Be ti'n feddwl? Odd yr hogan yn blydi *liability*.'

'Oedd, wn i, ond ma ganddi hi broblema sti…'

'Deutha fi!'

'Problema byta – bwlimia a ballu – â chditha'n sôn am y fala 'na…'

'O, cau dy geg, nei di, Meinwen,' torrest ti ar 'i thraws yn ddiamynedd. 'Y *bleeding heart* uffar.'

Rai dyddie'n ddiweddarach, dath Sara i mewn i'r Caban Coffi ac istedd ar y fainc gyferbyn â fi nes bod ein penglinie ni'n cwrdd o dan y ford. W'en i â 'nhrwyn yn *Ariel* Sylvia Plath, sef un o'r llyfre y byddwn i'n eu darllen yn gyhoeddus, gan gadw rhyw fflwcs fel *Viz* a *Sothach* ar gyfer y gwely a'r tŷ bach.

Dalies i ati i ddarllen am sbel, gan esgus nad o'n i'n gwbod 'i bod hi 'na, er bod 'y nghalon i'n carlamu a 'ngwyneb i ar dân.

'Crallo?' mynte hi.

'Ie?' edryches lan i fyw 'i llyged Oriental.

'Dyna dy enw iawn di?'

'Nage.'

'Beth yw dy enw iawn di, 'te?'

'Caradog. Fel Tomos Caradog y llygoden?'

Edrychodd Sara arna i'n ddwl. W'en i'n ffaelu credu na wedd hi 'di clywed am Tomos Caradog.

'Ga'i dy alw di'n Caradog?'

'*Na*' fyddwn i wedi'i weud wrth unrhyw un arall. '*No bloody way*'. Ond Sara Rheidol wedd hon, gwrthrych fy serch.

'Cei,' gwenais arni, gan gau'r llyfr er mwyn iddi allu gweld y clawr.

'Sylvia Plath! Fy hoff fardd i,' medde hi gan ysgwyd ei phen yn drasig.

'A fi 'fyd!' Croeses 'y mysedd dan y ford rhag ofon iddi ddechre trafod y cerddi 'da fi.

'Caradog?'

'Ie?' *Caradog*! Wedd hyd yn oed 'y nhad i'n hunan wedi rhoi'r gore i 'ngalw i'n Caradog ar ôl iddo fe benderfynu bod 'Crallo' yn fy siwto i'n well. '**Crallo,** *eg*. Hurtyn, creadur penwan: *crazy fellow*' – yn ôl diffiniad Geiriadur Prifysgol Cymru.

'Rwy angen rwle i fyw. Alla i ddim cario mlân i fyw 'da'n rhieni ar y blydi ffarm 'na. O'n i'n clywed bod 'na stafell wag yn Esmerelda?'

Enw od ar dŷ, wy'n gwbod, ond dyna wedd ei enw fe am ryw reswm dwl.

'Wes!' atebes inne'n frwd, gan gofio wedyn bod y lle fel twlc mochyn. 'Ond bydde'n rhaid i ti rannu 'da tri bachan. Dyw'r lle ddim yn daclus iawn…'

'Wel, tacluswch e cyn i fi symud mewn, 'te!' mynte hi. 'Nos Sadwrn.'

Nos Sadwrn? Shwt fath o noson yw nos Sadwrn i wneud unrhyw beth heblaw am fynd mas a meddwi'n dwll? 'Faint o'r gloch?'

'Tua saith?'

'Wela i di pryd 'ny, 'te…'

A bant â hi, gan 'y ngadael i'n dalp cynhyrfus o gynllunie a gobeithion, yn dychmygu pob math o senarios rhamantus unweth y bydde Sara Rheidol a finne yn byw o dan yr un to.

Wrth gwrs, wedd y bois ddim yn hapus pan wedes i wrthyn nhw fod 'na fenyw yn symud miwn, ac yn llai hapus *ar ôl* i Sara symud miwn, gan gonan ei bod hi'n conan am bopeth, o gyflwr y bathrwm i'n ffaeledde personol ni'n tri: trâd Rob yn gwynto; acen Ieu yn annealladwy, a bo' fi byth yn twlu pethe o'r ffrij ar ôl iddyn nhw baso'u *sell-by date*.

'Wy'n symud mas os yw hyn yn cario mlân,' mynte Rob, wedd wedi cymryd yn erbyn Sara o'r funud gerddodd hi dros y stepen drws a dweud wrtho fe am gario'i bagie hi lan stâr.

'A finna i dy ganlyn di,' mynte Ieu, mab ffarm o berfeddion Sir Fôn. '*Hogyn hen-ffasiwn fel tin trôns,*' chwedl tithe.

W'et ti ddim yn hapus gyda'r *set-up* 'fyd, ac wedi cael rhyw syniad paranoid yn dy ben bod Sara wedi gwneud 'ny ar bwrpas er mwyn dy sbeito di.

'Shwt ti wedi gweitho 'ny mas te?' gofynnes i.

'Wel, *Caradog,*' mynte ti'n sarcastig, a finne'n gwingo wrth sylweddoli na w'en i'n mynd i glywed diwedd ar hyn am amser maith. 'Ma Ms Rheidol yn gwbod yn iawn dy fod ti a fi yn dipyn o ffrindia, ac yn gwbod yn iawn dy fod ti wedi mopio arni a finna'n methu'i diodda hi, felly ma hi 'di penderfynu dŵad rhyngthan ni.'

'*Bollocks.*'

Falle y bydde'r holl ddrwgdeimlad o ochor fy ffrindie wedi bod yn werth yr holl ffwdan pe bydden i wedi cael gweld mwy ar Sara, ond sbel fach ar ôl iddi symud miwn fe ddechreuodd hi dreulio mwy a mwy o'i hamser yn 'i stafell. Wedd hi byth yn moyn byta 'da ni, er i fi gynnig prynu *take-away* iddi fwy nag unweth, a bob tro y bydde hi'n gadel y tŷ fe fydde hi'n cloi drws 'i stafell ar 'i hôl – ddim jyst unweth ond dwyweth neu dair er mwyn tsheco'i fod e wedi cloi'n iawn.

'*Compulsive obsessive behaviour,*' mynte Rob. 'Ma'r fenyw off 'i ffycin phen, mun.'

'Hurt bost, sach chdi'n gofyn i fi,' cytunodd Ieu.

'Beth ddiawl ma ddi'n neud yn y blydi stafell 'na trw'r amser, 'te?'

'Chwara darts,' atebodd Ieu.

'Whare darts? Shwt ti'n gwbod 'ny?'

'Clywad y darts yn taro'r wal. Ma hi am y parad â fi, cofia.'

'Pam na wedest ti rwbeth o'r blân, 'te? Eith Rigsby yn ffycin balistic pan welith e bod rhywun wedi bod yn twlu darts at y wal.'

Rigsby, ein llysenw hynod wreiddiol am landlord a wnâi i'r Rigsby gwreiddiol ymddangos yn fachan mor ffein â Nelson Mandela.

'Ofynnodd neb i mi, naddo – a, beth bynnag, to'n i'n cymryd yn ganiataol 'ych bod chi'n gwybod…' dechreuodd Ieu hel esgusodion.

'Wel rhaid i rywun gael gair 'da ddi cyn i Rigsby ddod rownd i nôl y rent. Crallo, ti adawodd iddi symud miwn 'ma, so ti sy'n gorfod siarad 'da ddi am y peth.'

'Iawn,' cytunais yn gro's grân. Ond yn gynta wedd 'da fi ddrama i'w hactio, a sesiwn i'w hyfed, achos y nosweth honno wedd nosweth agoriadol *Y Crochan* yn Theatr y Castell.

Wedd y gynulleidfa ar eu trâd yn curo dwylo a chwibanu ar ôl y perfformiad cynta 'na, a'r gymeradwyeth gest ti yn fyddarol. A, duw a ŵyr, w'et ti'n 'i haeddu fe: ti *wedd* Abigail Williams ar y llwyfan y noson honno – yn hudolus a pheryglus a drwg drwyddi draw.

Do's dim eisie gweud ein bod ni i gyd wedi mynd mas i ddathlu wedyn. Dim eisie gweud 'fyd taw dim ond ti a fi wedd ar ôl ar ddiwedd y noson, yn lle bo' ni 'di mynd gatre i'r gwely fel pawb call. Felly fe ethon ni'n ôl i Esmerelda, â finne'n gwneud 'y nynwarediad meddw arferol o'r *Hunchback of Notre Dame* wrth i fi hercian i mewn i'r tŷ dan alw, '*Esmerelda! I want my Esmerelda!*'

'Dim rhyfadd bod Sara yn cloi'i hun yn 'i llofft os ma fel'na ti'n ymddwyn,' medde ti.

'*Shit*! W'en i wedi anghofio ambwyti Sara!'

'Ma 'na obaith i chdi eto, 'lly! Gwranda, rhaid i mi fynd i'r lle chwech, dwi bron â marw isio pi-pi…'

Ac off â ti lan stâr, gan 'y ngadel i'n whilmentan yn y ffrij am gwrw a rhywbeth neis i'w fyta. Fe ffindes i'r cwrw, dim problem, ond wedd y bwyd i gyd wedi mynd *off*: y caws wedi tyfu crofen caled gyda smotie llwyd drosto fe, a rhyw ffwr gwyn wedi tyfu ar dop y jam. Wedd gan Sara bwynt wedi'r cwbwl.

'Teimlo'n well?' gofynnes wrth i ti ddod nôl.

'Nacdw. Ma'r blydi drws ar glo. Glywest ti mohona i'n ei fangio fo?'

'Naddo, a gobeitho na glywodd neb arall ti 'fyd.'

'Sara ti'n feddwl?'

'A Rob a Ieu.'

'Hy! Ers pryd wyt ti'n poeni am y ddau glown yna?'

Wedd 'da fi ddim ateb i 'ny.

'Rhaid i mi drio eto. Tyd efo fi.'

'Beth, i'r toilet?'

'I drio agor y drws 'de'r mwnci.'

'Alli di ddim dala?'

'Na fedra. Rŵan, tyd!'

W'et ti'n iawn. Wedd y drws wedi'i gloi, a hynny o'r tu fewn.

'Falle bod rhywun miwn 'na,' medde fi! Meddwl falle bod Rob wedi cal *KO* ar y bog fel gas e'r tro hwnnw ar ôl bash blynyddol y bois rygbi.

'Rhaid i ni falu'r clo felly, bydd?'

'Ond beth wedith Rigsby?'

'Stwffia Rigsby! Rŵan, tyd – dyro dy ysgwydd yn erbyn y drws a gwthia!'

Wedi sawl ymdrech swnllyd, wedd Rob a Ieu wedi ymuno â ni tu fas i ddrws y bathrwm, wedd yn golygu bod Sara naill ai'n cysgu trwy'r cwbwl, neu'i bod hi mas, neu... Ildiodd y drws yn sydyn wrth deimlo nerth ysgwydd *full-back* Rob yn ei erbyn, a cwmpon ni'n pedwar yn blet ar y leino. Ieu wedd y cynta i sylwi arni.

'Mam bach, sbiwch! Ma'i 'di boddi!'

'Ffycin 'el, mun!' mynte Rob.

Yno yn y bath, yn arnofio fel corff Ophelia yn y dŵr lliw Ribena gwan, wedd Sara: ei gwyneb fel y galchen a'i harddyrne wedi'u hagor... Dim ond codi clawr y tŷ bach wnes i mewn pryd cyn whydu pum peint o seidr a tri *rum and black* i'r pan.

'Helpwch fi i'w chodi hi allan newch chi!' gwaeddest ti. Ufuddhaodd Rob, a'i chodi hi mas fel tase hi'n bluen; dim ond haenen o groen ar esgyrn gwantan wedd hi beth bynnag.

'Sgynnoch chi dywelion?' gwaeddest ti eto.

'O's, ond nag y'n nhw'n lân iawn,' atebodd Rob.

'Di o'm ots am hynny! Jyst dowch â rwbath i mi – blanced, cwilt, *rhwbath* i'w chadw hi'n gynnas, a rywun arall i ffonio am ambiwlans – RŴAN!'

Rhoddest ti gusan bywyd iddi wedyn, er sai'n gwbod shwt na chafodd Sara *alcoholic poisoning* ar ôl yr holl fodca leim a sodas w'et ti wedi'u hyfed y nosweth na. Ond rhwng y gusan, a chael ei lapio mewn lot o ddillad a'i chadw'n dwym nes i'r paramedics gyrradd, fe ddaeth hi drwyddi – diolch i ti.

Newidiodd 'y nheimlade i tuag at Sara y nosweth 'ny. Shwt allen i fod mewn cariad 'da rhywun mor debyg i sgerbwd ac mor agos at ange? Do, es i'w gweld hi yn yr ysbyty 'da ti, ond yn lle diolch i ti am achub 'i bywyd hi, dechreuodd Sara weiddi a dy gyhuddo di o ddwyn y sylw i gyd oddi arni unweth 'to.

Fe gerddest ti mas jyst fel wedd rhieni Sara yn cyrradd, ac wrth gwrs, mynnodd y ddou sefyll i ddiolch i ni. W'en nhw'n bobol ffein, yn ffarmo yn Cwm Rheidol ac wedi mabwysiadu Sara am na allen nhw gael plant eu hunen. Gethon ni'r holl hanes mas yn y coridor tra wedd nyrs yn trial dofi Sara.

Yn ôl yn stafell Sara yn Esmerelda, ethon ni'n dou ati i baco'i phethe hi cyn i'w rhieni ddod rownd i'w nôl nhw. Ti gynigiodd wneud 'ny drostyn nhw, a nhwthe, pŵr dabs, mor ddiolchgar, w'en i'n meddwl eu bod nhw'n mynd i lefen.

'Diolch i chi, bach,' medde mam Sara. Menyw fach, fochgoch, gron gyda gwallt cwrlog, hen ffasiwn. 'Ma'n dda gwbod bod cystel ffrindie 'da Sara.'

Y peth cynta sylwon ni arno fe yn 'i stafell hi wedd gweddillion y poster o Marilyn Monroe ar y wal: y poster 'na ohoni'n eistedd ar y palmant mewn *fishnets* du. Ond erbyn hyn wedd y poster yn dylle i gyd, a sylweddolon ni'n dou ar yr un pryd taw at hwn wedd Sara wedi bod yn twlu'r dartie.

Ysgwydest ti dy ben a throi ata i.

'Tydi'r hogan ddim yn gall, Crallo – ti'n sylweddoli hynny erbyn hyn, twyt?'

'Odw, glei.'

Y tro ola weles i Sara Rheidol wedd yn dy barti priodas di a Mal, y Maffioso o Fôn. Fe ges i dipyn o sioc o'i gweld hi 'na a gweud y gwir, o gofio'r drwgdeimlad rhyngoch chi'ch dwy. Ond erbyn gweld, Meinwen wedd wedi sgamo gwahoddiad iddi trwy ddod â Sara 'no fel 'i phartner nos.

Fe glywes i wedyn fod Sara wedi mynd yn dost 'to ar ôl y briodas – yr hen gylch dieflig o anorecsia a bwlimia – a'i bod hi wedi bygwth siwio Meinwen am 'i rhoi hi trwy'r trawma o fynd i'r briodas yn y lle cynta. Sôn am y lifft ddim yn mynd lan i'r llawr top! Off 'i ffycin phen, chwedl Rob.

Ar ôl gwneud cwrs ymarfer dysgu, ath Rob yn athro ymarfer corff i 'ysgol yn y blydi Gogs – cnoco bach o sens mewn i benne'r pwffs pêl-drôd 'na'. Ath Ieu yn athro Eidaleg i ysgol yn y Cymoedd, a chael ei rigan yn ddidrugaredd gan y plant oherwydd 'i acen. Ond wedd y ddou ohonyn nhw'n athrawon gwych a phoblogedd yn ôl y sôn, ac yn dal i fod yn ffrindie mowr nes i Rob gael 'i ladd mewn damwen car un noson ar y ffordd gatre o Glwb Rygbi Bethesda.

Iste'n y ffrynt da'r gyrrwr tacsi wedd Rob, ond wedd y boi yn y car arall wedi cael bolied. Bardd adnabyddus, yn gyrru o gwmpas yn ei gwrw ers blynydde. Dim ond mater o amser cyn y bydde rhywun yn cael dolur. Yn anffodus, nid fe'i hunan wedd hwnnw.

Drwy lwc, wedd 'da Rob ddim gwraig na phlant i'w gadel ar ôl. Gormod o dderyn, yn ôl rhai; heb ddod mas, yn ôl erill (er, wen i wastad wedi meddwl bod gwrywgydieth yn rhan o is-ddiwylliant rygbi ta beth).

Priododd Ieu ferch perchennog caffi Eidaledd yn Bargoed, a chael llond tyed o blant bach tywyll pert, sy'n tynnu ar ôl eu mam, diolch byth!

Dwinne ar fin priodi 'fyd, a finne'n hanner cant, achos yn Isis dwi wedi cwrdd â 'mhartner mewn bywyd. Dwi'n siŵr y byddi di'n 'i lico hi, Alys, achos, er 'i bod hi'n edrych fel angel o'r nef, mae'i thrâd hi'n solid ar y ddaear.

Mae hi wedi dechre dysgu Cwmrag 'fyd – yn rhannol am fod 'da hi ddiddordeb yn iaith a diwylliant Cymru, ond yn benna am 'i bod hi'n ffaelu diodde cael 'i gadel mas o bethe. Dyw hi ddim moyn bod yr unig un ar yr aelwyd sy ddim yn gallu siarad Cwmrag, yn enwedig os cewn ni fabi bach ein hunen.

Achos, yn fwyfwy aml y dyddie hyn, 'nhad sy'n edrych yn ôl arna i pan fydda i'n edrych yn y drych, gan wneud i fi feddwl am bethe dyrys fel llinach, parhad yr hil ac ati.

Ma nhw'n gweud taw dim ond menywod sy'n mynd i deimlo'n *broody* a chlywed y cloc beiolegol yn tician fel bom amser yn eu cyrff, ond dwi'n gwbod nawr dyw hynny ddim yn wir a bod dynon yn gallu teimlo'r un awydd – yr un ysfa syml, gyntefig, hollol hunanol – i gal plant.

Ratsh

Sgubs. Sgubor Goch. Stad tai cyngor nid anenwog ar gyrion C'narfon. Fan'no y ces i 'ngeni a 'magu. Ia wir, cael 'y ngeni ar lawr bathrwm tŷ Nain, dim yn 'St David's, Bangor' fel pawb arall.

Ma 'na sawl un wedi troi'n wyrdd gan genfigen wrth glywad hynny gan 'i fod o'n rhwbath y basan nhw wrth 'u bodda'n medru 'i honni – heb orfod profi'r realiti o fyw 'no wrth gwrs. Achos ma gan y lle ryw *kudos* arbennig: stad gyngor werinol, naturiol Gymreig, lle ma pob rabscaliwn bron yn siarad Cymraeg efo acen Cofi go-iawn.

Yn wahanol i stada cyngor Queen's Park yn Wrecsam (tydi'r enw newydd – Parc Caia – rioed wedi gafal, meddan nhw), neu'r Gurnos yn Merthyr Tudful, tydi Sgubs ddim yn lle mor beryg â hynny. Mae'n bosib cerddad trwy'r stad heb gael 'ych bygwth neu'ch mygio neu gael 'ych brathu gan Rottweiler. Toes 'na ddim hanesion hyll o losgi tai gelynion, bordio drysa a ffenestri rhag ofn iddyn nhw gael 'u malu, nac o goltario a phluo genod sy'n cysgu efo gŵyr a chariadon genod erill – er y baswn i wedi talu'n hael i rywun wneud hynny i Lowri Rhyrid.

Ond stad tai cyngor ydi stad tai cyngor, ac mae unrhyw un sy'n llwyddo i adal a gneud rwbath ohoni yn cael 'i ystyried mewn dwy ffordd: yn nawddoglyd gan bobol fwy breintiedig am lwyddo i godi uwchlaw amgylchiada'ch magwraeth; ac yn ddirmygus gan 'ych cymdogion sy'n cyfeirio atoch chi fel 'pry wedi codi oddi ar gachu.'

'*Buggered if you do, buggered if you don't*,' chwedl Dwayne – ti'n cofio, Alys, y boi oedd yn arfar gweithio efo fi yn Siop Bob Dim ers talwm? Mi fasa'n rheitiach taswn i wedi aros yn dre a'i brodi fo. '*So dos amdani dol – sgen ti'm byd i'w golli*,' medda fo pan sonis i wrtho am 'y mwriad i ehangu 'ngorwelion.

Hen hogyn iawn oedd Dwayne. Fo oedd yn gyfrifol am adran fideos y siop, *Dwayne's World*. Rodd o'n meddwl 'i hun yn dipyn o *film buff* ac yn gwaredu mai'r unig ffilmia roedd y rhan fwya o bobol isio'u gweld oedd ffilmia antur dros ben llestri a ffilmia rhamantus codog. Hollywood ar 'i waetha. Mi gafodd o fodd i fyw pan nest ti ymaelodi a dechra rhentu ffilmia mwy safonol!

Dwi'n dy gofio di'n dod i'r siop weithia i brynu rôls pan oeddach chdi'n gweithio yn Stiwdio Barcud. Rôls gwyn, blodiog, ffres efo tafelli tena, crimp o facwn rhyngddyn nhw, a digonadd o fenyn. Sdim rhyfadd bod cyfryngis Cibyn mor dew ar ôl sglaffio'n rôls ni bob dydd. Heblaw amdanach chdi, wrth gwrs. Yn siapus naturiol, heb orfod llwgu dy hun er mwyn cadw dy ffigyr, nac yn domboi dena fatha fi.

'Un o fa'ma w't ti?' medda chdi ar ôl sbel o ddeud 'Haia' a siarad am y tywydd.

'Sgubs *born and bred*,' atebais inna.

'Ti'n edrach fatha *Spaniard* neu *Italian*,' medda chdi, gan ddefnyddio'r terma Saesneg rhag ofn na faswn i'n dallt 'Sbaenes neu Eidales' mae'n siŵr – yr hen beth nawddoglyd, ddosbarth canol i chdi! 'O ran pryd a gwedd, ti'n gwbod. Croen *olive*, gwallt du a llgada duon.'

'Gen i waed Eidalaidd,' medda fi, gan ddefnyddio'r term Cymraeg yn fwriadol. 'Odd Taid yn dŵad o Naples. Ddath o'n *Prisoner of War* i fferm tu allan i Bethal lle'r oedd Nain yn gweini. Dyna sut ddaru nhw gwarfod…'

'Dwy sosej bap plîs!' torrodd llais cras Denise Dew ar 'y nhraws i. 'Di dwad yma i nôl 'y nghinio dwi, ddim i wrando arnach chdi'n malu cachu am dy *family tree*. A sticia wy 'di ffrio ynddyn nhw tra ti wrthi.'

Bu bron i mi â chwistrellu sôs coch dros y bladras dew am fod mor bowld â thorri ar draws 'yn sgwrs ni, ond mi gofis i mewn pryd mai yno i syrfio pobol o'n i; a, beth bynnag, mae'n gas gen i orfod disgwyl i dalu mewn siop am fod y person tu ôl i'r cownter yn rhy brysur yn sgwrsio efo rhywun arall.

A dyna ddechra'n cyfeillgarwch ni, Alys, a'r ddwy ohonan ni wedi torri'r garw trwy ddechra sgwrsio efo'n gilydd go-iawn. Y ddwy ohonan ni o gefndiroedd hollol wahanol: chditha'n ferch i Aelod Seneddol ac artist a finna'n hogan i ddyn bins a dynas catalog oedd yn trio stopio pobol ar y stryd er mwyn 'u cael nhw i lenwi holiaduron. Nid fod Mam yn ddigon gwynab-galad i neud gwaith felly mewn gwirionadd, 'mond bod y graduras yn meddwl 'i fod o'n rhoi mwy o statws iddi na gweithio yn *Poundstretchers*.

'Sgen i'm amsar, dwi'n brysur,' oedd ymateb y rhan fwya o bobol iddi, efo amball un mwy di-flewyn-ar-dafod yn deud '*Piss off*' neu waeth wrthi. Ond pan es i â chdi adra am de un diwrnod, mi na'th Mam dy nabod di'n syth bin.

'Dwi'n 'ych nabod chi!' medda hi, 'di cynhyrfu i gyd. 'Ddaru chi stopio i mi ryw ddwrnod er mwyn llenwi *questionnaire* Littlewoods, dach chi'n cofio?'

'O'n i'n meddwl 'mod i wedi'ch gweld chi'n rwla o'r blaen,' medda chdi, efo *charm* dy dad. 'Fydda i ddim yn arfar stopio chwaith. Roedd 'na rwbath amdanach chi, ma rhaid – *saleswoman* go-iawn!'

Gwenodd Mam, gan gochi at 'i chlustia yr un pryd, wedi mopio bod rhywun wedi deud rwbath clên wrthi am unwaith, bechod.

Ddaru ni dyfu'n ffrindia agos o fewn cyfnod gweddol fyr, ac ymhen dim roedd dy gytundeb di wedi dod i ben a chditha ar fin 'i hel hi'n ôl am Aber.

'Pam na ddoi di efo fi?' medda chdi.

'Fedra i ddim,' medda fi, ond yr unig beth oedd 'i angan arna i i newid 'y meddwl oedd tro bach arall ar 'y mraich i, a'r sicrwydd nad cynnig dros ysgwydd oedd o.

Ro'n i wedi byw yn G'narfon ar hyd 'yn oes ac yn ysu am newid byd, ac er mai dim ond dwy awr i ffwrdd oedd Aber, roedd o'n ymddangos fel pen draw'r byd i mi i ddechra pan oedd hiraeth mawr arna i: cymaint o hiraeth fel y baswn i'n gneud petha hurt fel mynd ar y bỳs i Borth am 'i fod o'n fy atgoffa i o Dinas Dinlla.

Ac yno, yn y Borth, tra o'n i'n cerddad ar hyd lan môr un diwrnod gwyntog glas o aea, y gwnes i gyfarfod Paul. Boi ifanc tal, gwelw, tena fel bwa efo gwynab *matinée idol* fatha Jude Law a llygid treiddgar o'r un glesni oer â'r awyr.

'*You look cold*,' medda fo wrth i ni ddŵad i gwfwr 'yn gilydd, gan wenu i ddangos llond ceg o ddannadd gwynion a fasa'n berffaith heblaw am y ffangs pigfain o boptu'i geg oedd yn gneud iddo fo edrach fatha *vampire*.

'*So do you. I like the wind though*,' medda finna yn fy acen Gymraeg fawr.

'*The Wind in the Willows. Wild is the Wind. Whistle Do'n the Wind. The Wind Cannot Read… There's nothing like it to sweep away the cobwebs in your head.*'

Dyma fo'n 'y ngwadd i nôl i'w fwthyn am banad wedyn, a finna'n mynd efo fo, yn rêl llo. Mi fasa fo wedi medru bod yn unrhyw beth: yn dreisiwr, yn ganibal, yn Jehovah's Witness, ond mynd nes i'r un fath, wedi 'nghyfareddu gan 'i lygid gleision. Trodd y banad yn berthynas, ac ymhen dim ro'n i wedi symud allan o fflat Alys yn Aber i fwthyn bach blêr Paul ar lan y môr.

Do, mi fues i'n fyrbwyll. Mi driaist ti 'narbwyllo i – chdi a Gej. Ond meddwl mai cenfigennus oeddach chdi wnes i – o be'n union, dwi'm yn gwbod – ac mai prif bryder Gej oedd y baswn i'n hwyrach yn cyrraedd y siop bob bora, rŵan mod i'n byw tu allan i'r dre ac yn gorfod mynd i'r gwaith bob dydd ar y bỳs.

Roedd petha'n grêt i ddechra – yn un antur ramantus fawr – a hyd yn oed y ffaith bod Paul yn Sais a finna heb arfar siarad fawr o Saesneg yn ychwanegu at wefr y berthynas. Cyn-fyfyriwr drama di-waith o Chelmsford oedd o a benderfynodd aros yn yr ardal ar ôl graddio. Roedd o'n trio dysgu Cymraeg hefyd, ac yn mynd i ddosbarthiada yn y pentra pan oedd ganddo fo fynadd.

Ond buan iawn y sylweddolais i nad oedd gan Paul lawar o fynadd gneud dim ond stwna o gwmpas yn smocio dôp a breuddwydio am y dydd pan ddeuai Quentin Tarantino am dro i'r Borth a'i ddarganfod o'n cerddad ar y traeth a'i droi o'n seren dros nos.

Roedd o wedi cyfarfod y cyfarwyddwr Peter Greenaway un tro yn ystod yr Ŵyl Ffilmia yn Aberystwyth, ac yn dal i fyw mewn gobaith y basa hwnnw yn 'i gofio fo ac yn cysylltu efo fo un diwrnod. Ac fel ro'n i wiriona, â minna wedi gwirioni 'mhen arno fo ar y pryd, mi ges inna'n sugno i mewn i'w fyd ffantasi llawn cyffuria.

Roedd y dôp yn iawn, heblaw am y ffaith 'i fod o'n ddrud ac mai fi oedd yn talu am y rhan fwya ohono fo am mai fi oedd yr unig un oedd yn gweithio. Ond yna, un noson lawog pan gyrhaeddis i'r bwthyn yn wlyb at 'y nghroen ac wedi ymlâdd, roedd ganddo syrpreis i mi.

'*You're caught in the rat race, Ratsh. You're getting boring, babe, so I got you, me, us – this...*'

Mi ddylswn i fod wedi deud wrtho fo lle i fynd pan welis i'r powdwr gwyn yn y bag plastig, â'r gêr angenrheidiol i'w gymryd: y nodwydda, y tiwb rwber, y *Bunsen Burner* roedd o wedi'i sgamio o ryw labordy. Mi ddylswn i fod wedi troi ar fy sawdl a ffoi am 'y mywyd. Ond wnes i ddim. Roedd yr ofn o gael fy ystyried yn berson *boring* gan y fampir hardd hwn yn drech na'r ofn o gael 'y mhwmpio'n llawn o heroin.

A dyna chdi deimlad oedd hynny. Llif nefolaidd yn ffrydio trwy 'nghorff i, a holl boena a blinder bywyd yn cael 'u gwasgaru i'r pedwar gwynt fel plu dant y llew. Drifftio ar gwmwl o ecstasi – ond go brin y medra Ecstasi fod yn fwy ecstatig na hyn – gan deimlo fel y person hardda, hapusa dan wynab haul.

Roedd disgyn yn ôl i realiti wedyn fel cael codwm ar goncrid, a'r realiti yn ganwaith gwaeth nag oedd o mewn gwirionedd o'i gymharu â'r profiad o fod uwchlaw'r cymyla, felly doedd dim amdani ond cael chwistrelliad arall, ac un arall, ac un arall, nes bod fy hwylia'n pendilio o un pegwn i'r llall fel metronom gwallgo.

Rywsut, ro'n i'n dal yn llwyddo i fynd i'r gwaith bob dydd, er bod Gej wedi dechra sylwi bod rhwbath o'i le. Ac ar ôl sbel dwi'n meddwl mai'r prif reswm ro'n i'n dal i neud yr ymdrech o fynd i'r gwaith o gwbwl oedd am 'mod i isio dengid oddi wrth Paul, ddim jyst er mwyn cael mwy o facs i brynu heroin. Achos, erbyn hynny, ro'n i wedi dechra sylweddoli dylanwad mor ddrwg oedd o arna i, ac yn gobeithio y basa rhywun – Gej, yn benodol – yn fy achub i rhagddo.

Ond chdi ddaeth i'r adwy gynta. Digwydd galw heibio un noson pan oeddan ni eisoes wedi saethu i fyny. Do'n i heb fod yn glên iawn efo chdi yn ddiweddar. Dy weld di'n cerddad i mewn i'r siop yn edrach mor ddel bob tro gan ofyn '*Ti'n iawn, Ratsh?*' fel tiwn gron.

Ond pan alwaist ti draw y noson honno ro'n i'n rhadlon braf ar 'y nghwmwl bach gwyn.

'Alys! Tyd i mewn! Hyfryd dy weld ti!' gan daro sws ar dy ddwy foch.

Nest ti ddim atab, mond sbio arna i'n od, ac yna syllu o gwmpas, a'r braw yn amlwg yn dy lygid di. Toeddach chdi ddim y person twtia'n y byd, felly roedd hynny'n deud cyfrola.

'Heb gael amsar i llnau,' medda fi, gan sylwi am y tro cynta ers hydoedd – wel, ers y bora hwnnw yn fy sobrwydd – ar y llanast a'r budreddi ym mhob man. Llestri budron wedi'u gadal yma ac acw, papura newydd a chylchgrona driphlith-draphlith ar y llawr ac ar y dodrefn, â thrwch o lwch a huddyg dros bob dim.

'Pam neith Paul ddim llnau, 'ta?' medda chdi. 'Mae o adra drwy'r dydd tydi?'

'Am 'i fod o'n fastad diog. Tydi o'n gneud dim byd ond ista ar 'i din yn darllan cylchgrona ffilms a gneud dryga…ti'n gal o? Gneud dryga – cymryd drygs! Ha ha!' Ond nest ti ddim chwerthin.

'Ti ar rwbath 'fyd, twyt?' medda chdi gan droi a sbio i fyw'n llygid i. 'Mi fedra i ddeud wrth dy llgada di. Ti hcb ddechra cymryd dim byd calad, nag wyt?'

'Asu, Alys, *cool head*, sa unrhyw un yn meddwl dy fod ti'n blydi angal!'

Cyn i chdi gael cyfla i atab, daeth Paul i mewn yn gwisgo dim byd ond *boxer shorts* ac yn edrach mor dena â'r carcharion rheini yng ngwersylloedd y Japs adag rhyfal.

'Yo, Al!' medda fo, â'i wyneb o'n gloywi. 'Lookin' good, babe.'

'Which is more than I can say for you, y sbrych tena,' medda chdi, cyn troi ata i a gafal yn 'y mraich i, gan wthio'r llawas i fyny cyn i mi fedru dy stopio di.

'O'n i'n ama,' medda chdi ar ôl gweld olion y nodwydda ym mhlyg 'y mhenelin i. 'Ti'n mynd i ladd dy hun os na watsi di. Tyd nôl efo fi heno…'

'I'll come back with you if you like,' medda Paul, oedd yn dallt digon o Gymraeg pan oedd hynny'n 'i siwtio fo. A tasa o heb ddeud hynny, heb beri i bang o genfigen saethu trwydda i, ynghyd â phang o gasineb tuag atach chdi am fod mor ddeniadol, mae'n debyg y baswn i wedi mynd efo chdi.

'Pam ddylswn i?' medda fi. 'Well gen i aros yn y twlc yma na dŵad efo chdi. Be sy – dim dyn gen ti heno?'

Ro'n i wedi disgwyl celpan o leia, ond y cyfan ges i oedd dau lygad mawr gwyrdd yn sbio arna i'n bryderus gan wneud i mi deimlo'n reit annifyr. Ond yna, yn ddirybudd, dyma chdi'n troi at Paul a dechra'i deud hi go-iawn.

'You creep,' medda chdi, a dy wefus isa di'n crynu. 'If anything happens to Ratsh because of you, you're going to pay for it.'

Ac ar hynny dyma chdi'n gadal, gan adal Paul a finna i syllu'n syn ar dy ôl di.

'Who does she think she is – Clint Eastwood in drag?' gofynnodd Paul, gan chwerthin am ben 'i jôc dila 'i hun.

'Asu Paul, ddylsach chdi fod yn stand-up comedian,' meddwn inna, a mynd ati i glirio'r llanast o 'nghwmpas i.

Sbiodd Paul arna i'n syn, heb arfar efo atebion sarcastig. Dyma fi'n sbio'n ôl arno fo'n heriol a meddwl: ma dy ddyddia di bron ar ben, boi.

Y bora wedyn, mi ges i'n rhwygo o 'nghwsg fel babi yn cael 'i rwygo o'r groth. Tarodd y cloc larwm nodyn uwch a dal i nadu'n ddidrugaredd nes 'y ngorfodi i neidio allan o'r gwely i'w ddiffodd. Roedd y stafall yn oer ac yn drewi o fwg sigarét stêl.

Rhegais yn uchel, gan sbio'n flin ar wynab y cloc. Sbiodd y cloc yn ôl arna i gan ddal i dician yn ddigynnwrf. Yn 'y nhempar, rhwygais y batri o'i grombil a'i luchio'n erbyn y wal.

'Amser codi?'

Trois i gyfeiriad y llais bloesg a ddeuai o blygiada cynnas y cwilt.

'I rai ohonan ni, yndi.'

'*Don't go in today. Stay in bed with me all day.*'

Sticiodd Paul ei ben allan o'i wâl, 'i wallt tena yn sticio i fyny a'i lygid gleision yn binc gan gwsg.

'*I'd rather go to work feeling like death warmed up, to tell you the truth.*'

Sbiodd Paul arna i fel taswn i wedi'i gicio fo. *Eitha gwaith i chdi'r parasait diog*, meddyliais, gan gymryd 'y nillad oddi ar y gadar wiail wrth ymyl y gwely a mynd trwodd i'r bathrwm i wisgo amdana i.

Roedd hi'n oerach byth yn fan'no – yn lot rhy oer i folchi – felly es ati i wisgo o dan 'y nghoban: nics, legins, sana thermal, bra, chwap i'r goban dros 'y mhen, chwistrelliad o Lynx Paul o dan 'y ngheseilia, crys gwlanan a jympyr fawr byglyd at 'y mhenglinia.

Dim ond wedyn y mentrais i sbio yn y drych. Gwgais. Roedd golwg uffernol arna i: 'y nghroen i'r un lliw ag uwd, a'n llygid i'n bŵl efo bagia duon o danyn nhw. Tynnis grib trwy 'ngwallt, ond daliai i hongian yn gudynna llipa dros fy sgwydda.

'Tyff,' medda fi wrth fy adlewyrchiad a mynd trwodd i'r gegin i yfad llond gwydr peint o ddŵr ar 'y mhen. Ar ôl clymu cria fy Doc Martens, dyma fi'n gafal yn hen gôt gweithiwr cownsil Dad a chamu allan i fora llwydaidd arall ym mis Chwefror. Wnes i ddim cyboli deud ta-ta wrth Paul.

Hannar awr wedyn, cerddais i mewn i'r siop a bloeddio 'Haia Gej!' ar dop 'yn llais er mwyn iddo 'nghlywad i uwch twrw'r gitarau'n cael 'u ffustio a drymia'n cael 'u colbio. 'O's raid i ni gael y twrw mawr 'ma ben bora?'

'Sorri,' medda Gej gan droi'r sain yn is cyn troi i sbio arna i. 'Dow, ti'n iawn? Mae golwg y diawl arnat ti, wa.'

'Gwaeth nag arfar?'

'Jest dy *heroin chic look* arferol di.'

Dyma fi'n sbio arno fo'n siarp: be oedd hynny fod i feddwl? Oeddach chdi wedi deud rwbath wrtho fo, Alys? Na, fasa Gej byth yn gwneud jôc am rwbath mor ddifrifol.

'Su' ma Paul gen ti?' holodd Gej wedyn, â'i gefn ata i wrth iddo roi trefn ar y tapia a'r cryno-ddisgia ar y silffoedd.

Rhoddodd hynny gyfla i mi 'studio fo, gan sylwi mor ofalus roedd o wedi creu 'i ddelwedd duw roc twt: 'i wallt melyngoch (rêl Bala) wedi'i glymu'n ôl yn gynffon, y fodrwy yn 'i ael a'r styd yn 'i drwyn, y llodra lledar a'r crys-T Cowbois (Bala eto) efo'r geiria *Welsh Tart* arno. *Welsh Tart* wir! Roedd Gej yn fwy diwair na'r Forwyn Fair.

'Dwi isio'i adal o,' medda fi.

'Gad o, 'te,' atebodd Gej yn ddidaro.

'Tydi hi ddim mor hawdd â hynny.'

'Pam?'

'Gin y bastad ormod o afal arna i.'

'Rhaid i ti dorri'n rhydd felly...' medda fo gan droi i sbio arna i o'r diwadd.

'Dwi'm isio dy boeni di efo 'mhroblema pitw i.'

'Tydyn nhw ddim yn broblema pitw. Beth bynnag, dwi'n poeni amdanat ti. Deutha fi, dyna pam ti wedi bod yn yfed gyment yn ddiweddar?'

Toedd Gej, yn amlwg, ddim yn gwbod 'i hannar hi. Llyncais 'y mhoer a theimlo'r dagra yn pigo tu ôl i'm llygid. Tasa Gej wedi gafal amdana i, mi faswn i wedi toddi'n un swp dagreuol yn 'i freichia fo. Ond ddaru o ddim, achos dyna pryd y swagrodd Crallo, gitarydd blaen y grŵp Atafaelu Cemlyn, i mewn i'r siop.

'*Yo!*' medda fo, gan dynnu 'i sbectol dywyll oddi ar 'i drwyn. 'Atafaelu Cemlyn wedi cael *brilliant write-up* yn yr *NME.*'

'*Big deal,*' medda fi dan 'y ngwynt. Gwgodd Gej arna i, ond yn amlwg doedd Crallo ddim wedi 'nghlywad i.

'Be ti'n feddwl o'r *CD*, 'te, Ratsh?'

Mi ges i'n arbad rhag atab gan gloch drws y siop yn canu am yr eilwaith.

'Alys!' medda Gej a Crallo mewn deuawd, a gwibiodd saeth sydyn dan 'y mron wrth weld y wên fawr ar wyneb Gej.

'Haia. Ti'n iawn Ratsh?' medda chdi.

'Pam, ddylswn i ddim bod?' atebais inna'n swta.

'Sorri.'

'Ma'n iawn,' medda fi, yn difaru bod mor bigog. 'Dwi'n gwbod bod uffar o olwg arna i, yn enwedig â chditha'n edrach mor sbriws ben bora.'

Roeddach chdi'n edrach fatha *film star* yn dy dop côt ddu efo'r ffyr o gwmpas y colar, a dy wallt coch di wedi 'i glymu'n blethan Ffrengig berffaith.

'Ti wedi gweld *NME*'r wythnos ma, Al?' holodd Crallo. 'Canmol Atafaelu Cemlyn i'r cymyle...'

'Sgiwsiwch fi, dwi'n teimlo'n sâl...' medda fi a rhedag i'r tŷ bach yng nghefn y siop.

'Cer i fyny i'r fflat!' galwodd Gej ar 'yn ôl i. 'Ma 'na ddigon o ddŵr poeth i ti gael bath.'

O'n i'n drewi 'fyd? Rhedais i fyny'r grisia i fflat Gej ac i mewn i'r bathrwm. Es ar 'y nghwrcwd o flaen y toilet a gwthio 'mysadd i lawr 'y nghorn gwddw i drio taflyd i fyny, ond doedd dim tycio ar y cyfog gwag yn 'y nghylla.

Es ati i lenwi'r bath, gan dywallt pentwr o Radox i mewn i'r dŵr. Chwiliais trwy'r cwpwrdd am dabledi lladd poen a llyncu tair ohonyn nhw. Yna tynnais 'y nillad a chamu i mewn i'r bath poeth, peraroglus.

Mi faswn i wedi rhoi 'mraich dde, neu fraich dde Paul o leia – a'r gweddill ohono'n llawen – am fedru ymlacio'n llwyr. Ond er 'i bod hi'n braf cael cnesu fy esgyrn a golchi'r haen o nicotîn a chwys oddi ar 'y nghorff, roedd 'y meddwl i'n dal i stilio ynglŷn â'r un gofidia. Meddyliais am yr holl bres prin ro'n i wedi'i wastraffu ar gyffuria, am 'y mherthynas ddinistriol efo Paul, am y wên lydan ar wyneb Gej pan gerddist ti i mewn i'r siop, a dechreuis i feichio crio.

Dwi'n cofio'r diwrnod hwnnw fel tasa fo wedi digwydd i rywun arall. Rhyw gymeriad pathetig oedd wedi cyrraedd pen 'i thennyn. Ond fi oedd honno: Ratsh Roberts. Hogan na fedrai symud dau gam o'i chynefin heb wneud smonach llwyr o'i bywyd. Ond diolch i Gej – ac i chdi a'r Criw wrth gwrs – mi ges i ail gyfla.

Es i ddim yn ôl i'r bwthyn yn y Borth. Mi es ti a Crallo i nôl 'y mhetha i, gan roi *flat warning* i Paul adal llonydd i mi. Mi symudis i mewn i fflat Gej, ac mi a'th o â fi at y doctor i gael Methadone, ac edrach ar 'yn ôl i nes i mi wella.

Heblaw am y crefu anochel am heroin yn ystod y misoedd wedyn, ro'n i'n crefu am rwbath arall hefyd: Gej. Ond doedd o ddim fel tasa fo'n fy ffansïo i o gwbwl.

'Wyt ti'n ffansïo Alys?' gofynnis iddo fo un tro.

'Ffansïo Alys? Bobol bach, nadw,' medda fo, fel taswn i wedi gofyn cwestiwn gwirion bost.

Dyma fi'n meddwl wedyn ella'i fod o'n hoyw, er mai chwerthin nest ti a Crallo pan ofynnis i hynny.

'Be sy'n gneud i chdi feddwl hynny?' medda chdi.

'Y ffaith fod o ddim yn dy ffansïo di i ddechra arni.'

'Diolch yn fawr!'

'A'r ffaith 'mod i rioed 'di'i weld o efo hogan, am wn i.'

'So ti 'di 'di weld e 'da dyn 'fyd,' medda Crallo.

'Does ganddo fo ddim diddordeb mewn neb hyd y gwela i,' medda chdi. 'Ddim yn rhywiol beth bynnag. Dipyn o *designer amoeba* ydi'r hen Gej.'

Curodd Crallo'i ddwylo wrth 'i fodd. '*Designer Amoeba!* Ti nath hwnnw lan jyst nawr?'

'Ia. Pam?'

'Dwi wedi bod yn trial meddwl am enw newydd i'r band ers ache. Gewn ni'i iwso fe? Plîs?'

'Cei siŵr,' medda chdi, wrth dy fodd. 'Ar yr amod dy fod ti'n rhoi mensh i mi bob tro ma rhywun yn holi lle gafoch chi'r enw – iawn?'

'*Deal!*' cytunodd Crallo, a dyma'r ddau ohonach chi'n gneud sioe fawr o ysgwyd llaw.

Bu'n rhaid i mi ddisgwyl misoedd cyn i unrhyw beth ddigwydd rhyngtha fi a Gej. Mi aeth o i Ibiza am ha' cyfa i weithio fel DJ, gan adal y siop yn 'y ngofal i. Ond, un noson, ar ôl i mi roi clec i botal o win er mwyn magu plwc, dyma fi'n 'i ffonio fo…

'Gej, gen i rwbath i'w ddeutha chdi… Dwi'n dy garu di, ac os nad wyt ti'n teimlo'r un fath amdana i mi fydd yn rhaid i mi adal.'

O sbio'n ôl, ddaru o ddim ymateb efo'r fath frys â ddaru o pan adawodd o fi am Lowri Rhyrid. Do, mi ddeudodd o'i fod o'n fy ngharu inna hefyd, ond y basa'n rhaid iddo fo orffan 'i stint yn Ibiza cyn dŵad yn 'i ôl. Mater o anrhydedd proffesiynol bla bla bla. Tasa hi'n dŵad i hynny, ddaru o ddim hyd yn oed 'y ngwâdd i fynd i aros ato fo, dim ond diolch i mi am redag y siop tra oedd o i ffwrdd.

Ond, ar y pryd, ro'n i yn fy seithfed nef, ac yn methu credu'n lwc ar ôl holl anlwc 'y mherthynas efo Paul. Ro'n i'n gwbod 'mod i'n berson ansicr, emosiynol anghenus, oedd yn dueddol o gydio a glynu mewn pobol a phetha, gan gamu o un i'r llall fel tasan nhw'n gerrig llamu: Alys > Paul > Heroin > Gej.

Ac efo fo'r o'n i am aros, achos fo oedd fy nghraig, fy ngwaredwr, fy enaid hoff gytûn, felly be oedd ots os nad oedd o'n uffar o foi yn y gwely? Roedd Paul yn garwr tanbaid, ond pa werth oedd hynny yn y pen draw ond cael fy llosgi? *Life's a beach and then you burn* oedd hi efo Paul. Hyd y gwelwn i, fedrwn i ddim 'i chael hi bob ffordd: fedrwn i ddim cael cystal bachiad â Gej a disgwyl iddo fo fod yn garwr da hefyd.

A deud y gwir, roedd 'na rwbath eitha cysurlon yn y ffaith nad oedd o'n gradur cnawdol iawn, gan fod hynny'n golygu nad oedd o'n debygol o gael 'i ddenu gan genod erill. Tan i Lowri Rhyrid ddŵad ar y sîn wrth gwrs, a than i'r poen annioddefol o golli 'nghymar i rywun arall fy nhroi i'n fardd. Ac o'r diwedd dwi wedi meddwl am ddiweddglo i'r gwpled:

"Byrhoedlog yw dialedd,
Melysach yw'r pabi, a'r bedd."

Achos yr unig beth sy ar ôl i mi bellach ydi lladd 'n hun yn ara deg efo'r gwenwyn melysa dan wynab haul.

Cadi a Sam

'FEDRA I DDIM disgwl dŵad yn ôl i Sir Fôn i fyw, sti,' meddai Sam wrth yrru i lawr y lôn fach gul a arweiniai at dŷ ei rieni. Tŷ roedd yn dal i'w ystyried yn gartref iddo er ei fod wedi gadael y nyth chwe blynedd yn ôl i bob pwrpas pan gychwynnodd ar ei gwrs meddygol yn Llundain.

Roedd hi'n fis Mai, â'r cloddiau'n llawn clychau'r gog a botymau crys, ac ogleuon cymysg ysgaw, eithin a garlleg gwyllt yn llenwi'r car.

'Ti'm yn gall!' meddai Cadi gan disian drachefn, dair gwaith ar ôl ei gilydd. Roedd ei llygaid yn goch a'i thrwyn yn llifo, ac nid gan glefyd y gwair yn unig, er na fyddai wedi cyfadde hynny i'w brawd. 'Twll tin byd go-iawn!'

'Sgen ti byth hiraeth, felly?'

'Hiraeth?' wfftiodd Cadi. 'Sgen i'm amsar i betha felly!'

'Dim amsar neu dim mynadd?'

'Dim amsar. Dan ni ohebyddion gwleidyddol yn bobol brysur, sti.'

'Prysurach na ni fyfyrwyr meddygol, ti'n feddwl?'

'Ddeudis i mo hynny, naddo?'

'Ond dyna oeddach chdi'n 'i awgrymu.'

'Paid â bod mor paranoid nei di!'

'Paranoia ydi'n *specialist subject* i.'

'Addas iawn,' atebodd Cadi, gan disian eto.

Gwenodd Sam. Roedd yna rywbeth cysurlon iawn yn y tynnu coes defodol yma rhyngddo fo a'i chwaer. Mi fasai'r sefyllfa wedi bod yn dipyn anoddach delio â hi petai'r ddau ohonyn nhw yn ddifrifol i gyd gan leisio'r pryder roedden nhw'n ei deimlo tu mewn.

'Su' ma dy fywyd personol di y dyddia yma?' gofynnodd Sam. 'A chymryd nad wyt ti'n rhy brysur i gael un, wrth gwrs.'

'Ydw i'n canlyn, ti'n feddwl?'

'Wel, ia, am wn i.'

Anadlodd Cadi yn ddwfn cyn ateb. 'Yndw, fel mae'n digwydd. Efo Sais rhonc o'r *Home Counties*. Cyfrifydd. Gwallt melyn, gyrru Jag, cwrtais tu hwnt i bob rheswm. Nid fy nheip arferol i, cyn i chdi ddeud dim byd.'

'Ma hynny fatha *vegan* yn mynd allan efo matador!' chwarddodd Sam. 'A'i enw fo?'

'Ti'n gaddo peidio chwerthin?'

'Gaddo.'

'Rupert Symms-Ryder.'

Chwarddodd Sam.

'Dwi wir yn 'i licio fo, iawn? Felly cau dy geg,' meddai Cadi, gan bwnio'i brawd yn ei fraich. 'A be amdanach chdi – wyt ti'n canlyn byth?'

'Ddim yn selog, nacdw. Yn wahanol i chdi, tydi Saeson ddim at fy nant i.'

'Os ti'n licio rywun go-iawn, tydi'r ots gen ti be ydyn nhw,' atebodd Cadi'n hunanfeddiannol. Edrychodd Sam arni drwy gil ei lygad, gan boeni bod ei chwaer o bawb mewn peryg o droi'n feddal. Roedd o wedi disgwyl pwniad arall yn ei fraich o leia.

'Mae o'n *serious*, 'lly?' gofynnodd, gan drio cadw tôn ei lais yn ysgafn.

'Fydda i ddim yn licio herio ffawd.'

'Wyddwn i ddim dy fod ti mor ofergoelus.'

'Tydw i ddim. Ond mi fyswn i'n edrach yn rêl ffŵl taswn i'n deud ei fod o'n *serious* a fynta'n gorffan efo fi wsnos nesa, byswn?'

Dim sôn amdani hi'n gorffen efo fo, sylwodd Sam. Sylwodd hefyd ar y tensiwn ar wyneb ei chwaer wrth iddyn nhw ddod i olwg y tŷ. Ransh hir â feranda yn rhedeg ar hyd ei du blaen a fyddai wedi gweddu mwy i South Carolina nag i Sir Fôn, ac wedi'i amgylchynu â gardd fawr liwgar.

Mewn un congl, safai'r goeden laburnum â'i thresi aur gwenwynig; cofiai Sam feddwl eu bod nhw'n edrych fel sypiau o fananas ers talwm, er bod ei fam wedi'u siarsio nhw i beidio â chyffwrdd ynddi (a'r ddau ohonyn nhw wedi gwrando ar ôl iddi roi disgrifiad graffig o'r hyn fyddai'n digwydd i'w tu mewn nhw petaen nhw'n anufuddhau). Roedd y coed lelog porffor a gwyn peraroglus yn eu blodau hefyd, er bod y goeden geirios a'r pren magnolia wedi diosg eu blodau am flwyddyn arall.

Teimlodd o'i galon yn tynhau wrth sylwi ar y basgedi crog o boptu'r drws ffrynt, ac ambell betiwnia wedi blaguro'n barod, er na fyddai'r blodau yn eu llawn ysblander tan ganol haf. Meddyliodd am ei fam yn eu plannu nhw, ei dwylo'n bridd i gyd, a'i hwyneb yn bictiwr o berson diddig.

'Mae o'n therapiwtig, sti,' arferai ddweud wrtho. 'Fatha gneud pryd o fwyd sbesial neu roi sglein ar sgidia. Ac mi fydda i wrth 'y modd yn eu gweld nhw'n tyfu a chael deud mai fi sy wedi'u gneud nhw.'

Ond roedd harddwch yr ardd yn amlwg wedi'i wastraffu ar Cadi. Hogan dinas go-iawn, er mai yma cafodd hi'i magu, ym mherfeddion ynys wledig.

'Ma Dad-cu yma'n barod!' gwaeddodd Cadi'n gyffrous, gan nodio i gyfeiriad y Mercedes ar y dreif a neidio allan. Gwyliodd hi'n rhedeg at y drws, a'r drws yn agor, a Mal a Joshua yn sefyll yno, a Cadi'n cofleidio'r ddau yn eu tro.

Dilynodd Sam hi yn fwy petrus, yn gyndyn o gamu i mewn i'r tŷ â'i fam ddim yno.

'Tyd i mewn, Sam,' meddai ei dad â'i law ar ei ysgwydd. 'Wna i banad i ni.'

Ac oedd, mi oedd y tŷ'n wag heb Alys yno, fel y rhan fwya o aelwydydd pan fo'r wraig yn absennol.

'Sgin i ddim teisan jocled i chi, ma gin i ofn,' meddai Mal, gan roi mygiau gorlawn o goffi parod o'u blaenau a phlatiaid o fisgedi plaen, diflas yr olwg, ar ganol y bwrdd. Byddai Alys bob amser yn eu croesawu efo *cappuccinos* pan ddeuen nhw adref, a theisen jocled odidog toddi'n-eich-ceg. Gwell hyd yn oed na theisennau siocled Gwlad Belg, yn ôl Cadi, ac roedd hynny'n dweud rhywbeth.

'Su' ma Mam erbyn hyn?' gofynnodd Cadi, gan godi a thywallt peth o'i choffi i lawr y sinc. 'Unrhyw newid?'

'Dal yn anymwybodol ma gin i ofn,' atebodd Mal. 'Tydi hi heb ddeffro ers iddi ddŵad ati'i hun echdoe.'

'Bechod na fysan ni wedi medru dŵad adra'n gynt,' meddai Sam.

'Mi fysach *chdi* wedi medru,' meddai Cadi, oedd wedi hedfan i Heathrow o Frwsel y noson cynt.

'Ddeudis i y byswn i'n aros amdanach chdi, do?'

'Doedd dim rhaid i chdi.'

'Mond am rai munuda roedd hi'n effro,' meddai Mal. 'Mi fyswn inna wedi medru peidio â bod yno hefyd.'

'Ma hi'n mynd i gael llond ceg gen i pan ddaw hi ati'i hun, beth bynnag,' meddai Cadi, gan roi llwyaid arall o goffi yn ei myg ac agor y ffrij i fusnesu. Troi'i thrwyn ddaru hi wrth weld ei fod yn wag ar wahân i botel anferth o lefrith, bocs o wyau '*From Caged Hens*' (mi fasai'i mam wedi gwaredu), sosej a bacwn a thun bîns mawr heb gling ffilm drosto.

'Am be?' gofynnodd Mal.

'Am ddreifio mor wyllt, 'de. Mae'n syndod nad ydi hi wedi cael damwain cynt, y ffordd ma hi'n dreifio.'

Roedd hynny'n wir, yn enwedig pan oedd Alys ar ei phen ei hun yn y car. Troi'r CD yn uchel a rhoi ei throed ar y sbardun. Y to i lawr hefyd pan fyddai'n ddigon braf, sbectol haul ar ei thrwyn a'i gwallt coch yn chwifio o gwmpas ei phen. Y sbîd a'r adrenalin, y rhyddid a'r elfen o berygl yn gwneud iddi deimlo'n ifanc eto.

'Mi fysach chdi'n siŵr o gega efo hi am rwbath beth bynnag!' meddai Sam, gan deimlo ysfa sydyn i gadw ar ei fam.

'A be ma hynna'n fod i feddwl?'

'Ti bob amsar yn pigo ffrae efo hi am rwbath.'

'Nacdw tad.'

'Wyt tad.'

'Nacdw tad!' meddai Cadi, yn fwy ffyrnig y tro yma, â'i llygaid yn llenwi â dagrau. Calla dawo, meddyliodd Sam, yn enwedig efo rhywun mor wyllt ei thymer â'i chwaer. Ond pan roddodd Joshua ei law hen ŵr am law fach bwt Cadi i'w chysuro, mi ddechreuodd hi feichio crio. Y dagrau'n powlio i lawr ei bochau wigs gan wneud iddi edrych fel hogan fach eto.

'*Nice one*, Sam,' meddai Mal, gan rythu'n ddu ar ei fab.

'Sorri,' meddai Sam, er y gwyddai bod ei dagrau wedi bod yn bygwth beth bynnag. 'Dan ni i gyd dan straen.'

'Ond mae'n wir be ddeudist ti,' igiodd Cadi. 'Dwi'n gwbod bod Mam a fi yn dadla lot, ond tydi hynny ddim yn golygu 'mod i isio i rwbath ddigwydd iddi.'

'Nacdi siŵr, dwi'n gwybod hynny,' meddai Sam.

'Dyna ti, bach,' meddai Joshua, gan fwytho cyrls duon Cadi fel petai hi'n gath. Cath ddu fwythlyd efo llygaid gwyrddion.

Roedd golwg wedi torri ar ei dad-cu, meddyliodd Sam, o'i gymharu â'r haf cynt pan ddaeth o yma i aros. Joshua, Cadi a Sam adra am fis cyfan, ac Alys a Mal wrth eu boddau yn eu diddanu a'u pledu efo bwyd a diod.

Barbeciws – stêcs mawr brau a physgod lleol, salads blasus, gwinoedd da a chwrw oer. Rhodio dow-dow i'r dafarn ambell noson. Picnics ar lan môr. Gwibdeithiau difyr a theithiau dirgel ar hyd lonydd cefn gwlad. *Nightcaps* a sgwrsio tan yr oriau mân ar y feranda. Pawb yn cyd-dynnu'n rhyfeddol o dda.

Y cof amlyca gan Sam o'i dad-cu bryd hynny oedd o hen ŵr talsyth â gwallt lliw copr-ac-arian yn eistedd ar y feranda yn gwylio olion ola'r machlud yn diflannu ar y gorwel. Gwydraid o Pimms a thonig yn un llaw – *Sundowner* cyn newid am swper – a llyfr yn y llall. Dad-cu heb Nain. Yn hiraethus ond heb ei lethu gan hiraeth. Hyd y gwyddai. Gwleidydd oedd o wedi'r cyfan, ac wedi hen arfer celu ei wir deimladau.

'Dach chi wedi dreifio'r holl ffordd o Gaerdydd ar eich pen eich hun?' gofynnodd Sam wrtho rŵan.

'Ym, naddo,' atebodd Joshua'n chwithig. 'A gweud y gwir roedd 'da fi *co-driver*.'

'Be?'

'Pwy?' Trodd dau bâr o lygad i syllu ar eu tad-cu mewn syndod.

'Evelyn. Ma ddi lan lofft yn wmolch a newid.'

'Be – dach chi'n…?' gofynnodd Cadi, ei dagrau wedi peidio'n sydyn.

'Yn gariadon?' meddai Joshua. 'Wel, ry'n ni'n ffrindie agos, rhowch hi fel'na.'

'Yr hen gena lwcus,' meddai Mal, gan wincio ar Cadi a Sam. 'Yn dal i ddenu'r genod yn 'ych oed chi!'

'Ydi hi'n lot fengach na chi, 'lly?' gofynnodd Cadi.

'Ddim fel 'ny, os nad wyt ti'n galw pymtheg mlynedd yn lot,' atebodd Joshua.

'Ddim yn eich oed chi,' meddai Cadi.

'Paid â bod mor ewn, 'merch i,' ceryddodd Joshua hi'n chwareus. 'Byddi di'n hen dy hunan ryw ddwrnod!'

Crychodd Cadi ei thrwyn.

'Mae 'na ferched canol oed *glamorous* iawn o gwmpas y dyddia yma,' meddai Sam, fel petai'n disgwyl i Joanna Lumley neu Helen Mirren gerdded i mewn unrhyw funud.

Tagodd Mal ar lymaid o goffi. Trodd Joshua i edrych arno'n siarp, a gwnaeth Mal sioe fawr o ymddiheuro bod y coffi wedi mynd yn groes. Yna, daeth cnoc swil ar ddrws y gegin a cherddodd dynes fechan, wenog i mewn, heb fod yn blaen ond heb owns o *glamour* yn perthyn iddi chwaith. Wedi'i gwisgo yn y math o ddillad henaidd confensiynol na fyddai Megan wedi'u gwisgo dros ei chrogi.

'Cadi, Sam. Dyma Evelyn,' meddai Joshua, â'i lygaid yn gloywi wrth iddo godi i'w chyflwyno.

Fflipin hec, be ddiawl mae o'n weld ynddi? meddyliodd Cadi.

Blydi hel, ma pawb mewn cariad ond amdana i, meddyliodd Sam.

O leia ma hi'n lot haws gneud efo hi na Megan, meddyliodd Mal.

Ac am rai munudau, roedden nhw i gyd wedi anghofio am eu pryder ynglŷn ag Alys a'r ffaith ei bod hi'n dal i orwedd yn yr ysbyty rhwng byw a marw.

Ratsh

ALYS, mae 'na ddyn newydd yn 'y mywyd i! Boi del, pry' tywyll â golwg beryg arno fo. Mae ganddo fo lygid glas gola iasol fel llygid llofrudd a'r blew llygad duon hira welist ti erioed. Mor wahanol i lygid mochyn cochyn fel Gej.

Dave y *Dealer* Del.

Mi faswn i wedi medru cael gafal ar y cyffur oddi ar y we mae'n debyg. Y we pry cop fyd-eang sy'n hudo pobol i'w cwymp. Pryfid yn chwilio am y pornograffi mwya gwyrdroëdig, yr arfa mwya dieflig, y cyffuria mwya seicedelig. Blwch Pandora go-iawn.

Mae canabis mor hawdd i'w brynu â da-da y dyddia yma – ac yn lot llai niweidiol hefyd, dybiwn i, efo'r holl ychwanegion a lliwia artiffisial sy mewn da-da. Ond dim canabis oedd arna i isio ond heroin, yn bur a glân fel eira gwyn. Neu'n bwdwr a budur fel eira slwj. Dim ots gen i cyn belled â'i fod o'n taro'r nod.

Ond mynd i chwilio amdano fo ar y stryd wnes i. I lawr i'r docia, i un o'r tafarna tywyll, myglyd a di-raen rheini sy wedi dal 'u tir yn erbyn y cyrch o faria gwin a thafarna cadwyn dienaid.

Cerddis i mewn â 'nghalon yn 'y ngwddw, gan drio ymddangos mor ddidaro â phosib, ond aeth pawb yn dawal a throi i stagio arna i, fel yn yr olygfa honno yn *An American Werewolf in London* lle mae'r twristiaid anffodus yn cerddad i mewn i dafarn anghysbell a chael derbyniad oeraidd â deud y lleia.

'*I'm looking for a dealer*,' meddwn i wrth y llabwst efo llwyth o datŵs y tu ôl i'r bar. Gwgodd hwnnw arna i am eiliad cyn cyhoeddi ar dop 'i lais:

'*She's lookin for a dealer, she is! What kind of dealer, love – antiques, second-hand cars?*'

'*A drug dealer, actually*,' medda fi, gan sylweddoli'n rhy hwyr mor hy ro'n i'n swnio.

'*You a cop or what?*' gofynnodd y llabwst.

'*No, I'm a translator.*'

'*A translator, aye? Well translate this then, love – fuck off! We don't want no strangers sniffin about round 'ere.*'

Mi faswn i wedi licio'i atab o'n ôl, ond hyd yn oed taswn i wedi meddwl am atab digon bachog, go brin y basa hynny wedi bod yn syniad da. Toedd o ddim yn edrach fel y math o foi fasa'n ymatal rhag rhoi stid i ddynas tasa'r ysfa'n dŵad drosto fo.

Dyma fi'n 'i heglu hi allan o'r dafarn â 'ngheseilia'n llaith gan chwys oer, a sŵn chwerthin gwawdlyd yn 'y nilyn i wrth i mi groesi'r lôn. Yna, wrth i mi gyrraedd congol y stryd, mi ddaeth 'na dap ysgafn ar y'n ysgwydd. Neidiais mewn braw.

'Sorri i scêro chi…'

Dyma fi'n troi i sbio i fyw y llygid mwya trawiadol welis i erioed… wel, ers llygid Paul, beth bynnag. Yr un glesni oer.

'O'n i yn y pŷb 'na nawr. Ffili helpu clywed chi'n siarad 'da Tiger, chwel.'

'Tiger?'

'Y barman. Prat. Clywed chi'n gweud bo chi'n whilo am *dealer, like.*'

'Wel, yndw…'

'Digon o drygs 'da fi, os chi'n moyn.'

'Sut dach chi'n gwbod nad ydw i'n aelod o'r *CID*?'

Wfftio ddaru o, y cradur hardd yma o 'mlaen i. Boi ifanc, Latino yr olwg, mewn siwt jogio sgleiniog yr un lliw â'i lygid.

'Nage cop y'ch chi. *Translator* y'ch chi, wedoch chi, 'da acen *North Walian*. Alle cop byth neud rwbeth fel'ny lan. Ma mwy o *imagination* 'da brawd bach fi – a ma fe'n *autistic*.'

'Sgynnoch chi heroin?' gofynnais, cyn i mi golli 'mhlwc.

'I pwy chi moyn e – i plant chi, ife?'

'Sgin i ddim plant,' medda fi'n bigog. 'Fi sy isio fo.'

Teimlais bang o siom bod hwn, fatha pawb arall, yn cymryd yn ganiataol bod gan ddynas ganol oed fel fi blant.

Pam oedd pobol yn dal i fod mor bowld ac ansensitif ynglŷn â dewis pobol i beidio prodi neu beidio cael plant? Ond dal 'n tir nes i a Gej, er gwaetha ymdrechion pobol erill i'n perswadio ni – boed hynny trwy fwlio, swcro neu flacmêl emosiynol – i'w plesio nhw yn hytrach na ni'n hunan.

'Ti 'di mynd yn tawel iawn,' meddai Dave (er nad oedd o wedi cyflwyno'i hun i mi eto). '*Nerves*, ife?'

Syllais mewn rhyfeddod am eiliad ar y cynnyrch yma o ysgolion Cymraeg y ddinas neu'r Cymoedd: deliwr cyffuria oedd yn medru canlyn 'i grefft trwy gyfrwng y Gymraeg. Yna, yn sydyn, roeddan ni'n sefyll tu allan i floc o fflatia.

'Lan stâr,' medda Dave, gan roi 'i law o dan 'y mhenelin i a 'nhywys i fyny'r grisia oedd yn drewi o biso stêl. Roedd y walia wedi'u gorchuddio mewn graffiti ffiaidd, ar wahân i un neu ddau digon ffraeth:

JESUS WAS A TYPICAL MAN
– HE SAID HE'D COME BACK
BUT HE NEVER DID

Reality is for people who can't cope with drugs

Roedd fflat Dave ar y trydydd llawr. Roedd o'n edrach fatha'r fflatia erill i gyd o'r tu allan, ond roedd y tu mewn fel hysbyseb Habitat, yn *minimalist* a gola. Llawr pren gola, walia gwynion gloyw, soffa wen foethus, desg onnen efo clorian electronig *state of the art* arni.

'Lyco fe?'

'Chwaethus iawn,' medda fi, a mynd i sefyll wrth y ffenast oedd yn edrach allan dros y bae. Pan drois i'n ôl, rodd Dave wrthi'n pwyso pentwr o bowdwr gwyn yn y glorian.

'Faint ti moyn?' gofynnodd o.

'Faint bynnag ga i am hyn,' atebais i, gan dynnu swp tew o bapura ugian punt o 'mhwrs.

Gwenodd Dave, gan roi cip ar y *diamond* yn un o'i ddannadd ochor.

'Alli di gal *fix* nawr os ti moyn. *On the house*. Dave yw'r enw, *by the way…*'

'Rachel,' medda finna, gan ddefnyddio fy enw bedydd am y tro cynta ers cyn co.

Ysgwydodd Dave fy llaw a'i gwasgu nes 'mod i'n gwingo. Ond dyna'r math o ysgwyd llaw dwi'n 'i licio, nid rhyw ysgwyd llaw llipa llugoer fel tasa'r person arall ofn dal rwbath gynnoch chi. Nid rhyw ysgwyd llaw Gejaidd, amoebaidd.

Yr eiliad yr aeth y nodwydd i mewn rhuthrodd yr hen ryddhad trwyddo fi, gan 'y nofi a 'ngwefreiddio fi'r un pryd. Gwenais ar Dave a gwenodd ynta'n ôl arna i, a theimlais fy hun yn disgyn a throelli yn nhrobwll 'i lygid gleision.

Alys, mi fyddi di'n falch o glywad mod i'n hapus unwaith eto.

Alys

TIPYN O SIOC i'r system oedd priodi a chael plant i mi, gan i 'mywyd i newid yn llwyr o fewn cyfnod cymharol fyr. Un funud yn fohemaidd a'r funud nesa yn gonfensiynol – neu felly yr ymddangosai, beth bynnag. Un funud yn dyheu am sefydlogrwydd, a'r funud nesa yn hiraethu am ryddid.

Toeddwn i ddim yn unigryw yn hynny o beth, gan fod pobol sy wedi ehangu tipyn ar eu gorwelion trwy fynd i'r coleg neu fynd i ffwrdd i weithio yn ei chael hi'n anoddach i setlo i lawr yn aml na phobol sy wedi aros yn yr un lle ar hyd eu hoes. Pobol fel Mei a Michelle, oedd wedi bod yn canlyn yn selog ers pan oeddan nhw'n un ar bymtheg.

Roeddwn i'n ei chael hi'n anodd dychmygu y basai unrhyw un yn bodloni ar fynd efo dim ond un person drwy'u hoes, yn enwedig rhywun o blith ein cenhedlaeth llac-eu-moesau ni, ond mi oedd yna bobol felly yn dal i fodoli mae'n rhaid. Ai am eu bod nhw'n wirioneddol fodlon efo'u cymar, neu am eu bod nhw'n rhy ddiog neu lwfr i fynd efo rhywun arall, dwn i ddim.

Yn sicr, roedd hi'n well chwarae'r maes cyn priodi neu gyd-fyw efo rhywun na wedyn, pan oedd peryg i anffyddlondeb greu llawer mwy o lanast a dinistr. Roedd merched brodorol ynys Tahiti wedi'i dallt hi, gan ei fod yn draddodiad ganddyn nhw gysgu o gwmpas cyn iddyn nhw briodi ac yna bod yn wragedd ffyddlon. O leia wedyn roedd ganddyn nhw atgofion am eu hanturiaethau rhywiol i'w difyrru nhw pan fyddai eu bywydau priodasol wedi mynd yn stêl.

Mi fûm i'n ffyddlon i Mal hefyd – yn gorfforol beth bynnag – a dwi bron yn berffaith sicr ei fod yntau wedi bod yn ffyddlon i mi. Er hynny, mi oedd yna ambell ddraenen yn fy ystlys i, fel union natur ei berthynas o â Iola Elan.

Roeddan nhw'n rhannu'r cwlwm arbennig yna sy gan bobol sy wedi cael eu magu yn yr un lle, mynd i'r un ysgol a thyfu efo'i gilydd. Ond fuon nhw erioed yn gariadon, yn ôl Mal, a doedd gen i ddim rheswm dros amau ei air o, er bod Iola wedi gwirioni'n bwt arno fo ers pan oedd hi'n dwmpan fach dew yn yr ysgol feithrin.

Yr hyn oedd yn 'y nghorddi i ynglŷn â Iola oedd y ffaith ei bod hi'n dal i fod wedi gwirioni ar Mal a hithau'n globan nobl ganol oed. Y ffordd gariadus roedd hi'n sbio arno fo, y ffordd y bydda hi'n sôn am 'yr hen ddyddia' efo fo yn 'y ngŵydd i, mewn ymgais amlwg i uno'r ddau ohonyn nhw a gwneud i mi deimlo allan ohoni. Ond cadw arni fyddai Mal bob tro, gan ddweud ei bod hi'n hen hogan iawn, a 'mod i'n dychmygu petha wir os oeddwn i'n ddigon gwirion i feddwl bod Iola yn dal ar ei ôl o.

'Be sy mor od mewn meddwl hynny?' gofynnais innau.

'Ma hi'n ddynas yn 'i hoed a'i hamsar.'

'*So*?'

'Ma hi'n hen braidd i gael crysh ar rywun, ti'm yn meddwl?'

'Nacdw. Yn enwedig rhywun mor anaeddfed â hi.'

'Sdim isio bod yn gas, nag oes.'

'Tydw i'm yn bod yn gas. Deud y gwir ydw i.'

'Gwranda Alys, dwi'n *flattered* dy fod ti'n meddwl bod rhywun arall yn fy ffansïo i, ond dwi wir yn meddwl mai chdi sy'n dychmygu petha, sti.'

Pam bod dynion mor blydi cibddall ar adegau? Ai am eu bod nhw'n '*stupid just by design*' chwedl y Manic Street Preachers, neu am eu bod nhw'n dewis anwybyddu pethau sy mor amlwg â'r dydd i bobol eraill?

A dyna chi blentyn siawns Iola Elan wedyn. Iolo. Pwy oedd tad hwnnw? Do'n i, yn un, ddim yn coelio'r stori big honno ei fod o'n fab i ryw Gasanofa Groegaidd fel rhywbeth allan o *Shirley Valentine*. Dyna lle cafodd hi'r syniad, mae'n siŵr. Nid 'mod i'n amau Mal o gael ffling efo hi, jyst bod fy sicrwydd i'n cael 'i sigo weithiau wrth i mi sylwi ar y tebygrwydd rhwng Iolo a Mal.

Toedd hi ddim yn gyfrinach fod Iola wedi bod isio plentyn ers blynyddoedd cyn i Iolo gael ei eni – ers pan oedd hi'n chwarae tŷ bach efo'i doliau ers talwm, mae'n siŵr. Dyna'n rhannol pam y chwalodd ei phriodas hi a Leslie, y dyn tân. Methu cael plant efo'i gilydd oeddan nhw erbyn gweld, gan i Leslie gael plentyn efo blondan ddeunaw oed yn fuan ar ôl iddyn nhw wahanu. Brifodd hynny Iola i'r byw, yn ogystal â'i gwneud hi'n fwy penderfynol byth o gael ei babi ei hun.

Oedd hi'n bosib ei bod hi wedi mynd at Mal efo'i *sob story*, gan ddweud nad oedd hi isio babi rhywun-rhywun, ac a fasa fo plîs, plîs, plîs, yn ystyried rhoi dipyn o'i sberm iddi? Er na fasa'n rhaid iddo fo gysgu efo hi, wrth gwrs – gan obeithio ar yr un pryd y basa fo'n gwneud. Oedd hi'n bosib y basai yntau wedi bod yn ddigon gwirion i gytuno? Go brin. Ond eto, roedd yna rywbeth am y sefyllfa oedd yn dal i 'mhoeni i. Rhywbeth mwy na dim ond hel bwganod.

Un noson, mewn parti yn nhŷ Mei a Michelle, mi ges i gyfle i daclo Iola ynglŷn â'r peth. Dwn i ddim be ddaeth drosta i. Yn sicr, roeddwn i wedi cael gormod i'w yfed, ac roedd y ffordd roedd Iola'n edrych i gyfeiriad Mal bob munud wedi procio fy mharanoia.

Ei dilyn hi allan i'r ardd am smôc wnes i, â 'nghalon yn curo fel dryw bach yn erbyn fy sennau.

'Su' ma Iolo?' gofynnais, gan danio sigarét o'i sigarét hi.

'*Champion*, sti, diolch. Wedi setlo'n rêl boi yn rysgol fawr.'

'Fydd o'n gweld ei dad weithia?' Gan drio swnio mor ffwrdd-â-hi â phosib, er bod curiad 'y nghalon wedi chwyddo yn 'y nghlustiau.

Trodd pen Iola fel chwip. 'Pam ti'n gofyn?'

'Ym…'

'Ti'n gwbod, twyt?'

Trodd 'y nghalon ben i waered. *Na, na, plîs, na,* sgrechiodd llais bach y tu mewn i mi.

'Os ti'n gwbod, duw a ŵyr sut 'di Michelle ddim 'di gesio,' aeth Iola yn ei blaen.

'Michelle? Be – tydi hi'm yn gwbod?' Roedd fy llais fel petai'n perthyn i rywun arall, yn dal i fynd ar *autopilot* tra oedd fy nhu mewn yn bygwth ffrwydro.

'Asu gwyn, nadi. Ti'n meddwl y basa hi'n dal i siarad efo fi tasa hi'n gwbod?'

Edrychais arni'n syn – am be goblyn oedd hi'n mwydro? Pam na fasa Michelle yn siarad efo hi tasa hi'n gwybod? Fedrwn i ddim credu y basa Michelle mor driw i mi, ei chwaer-yng-nghyfraith, yn enwedig â Iola a hitha'n gymaint o ffrindiau. Aeth Iola yn ei blaen heb sylwi ar fy mhenbleth.

'Ti'n meddwl y basa hi'n dal efo Mei tasa hi'n gwbod? Mi fasa fo wedi cael cic allan ar ei din. Dwi'n dal i deimlo'n uffernol am y peth, sti – wna i byth fadda i mi fy hun am be wnes i. Ond wedyn, pan dwi'n sbio ar Iolo, fedra i ddim deud â'm llaw ar 'y nghalon 'mod i'n difaru…'

'Be…?' Fedrwn i ddim celu fy nryswch erbyn hyn. Yna, yn sydyn, mi syrthiodd y geiniog.

'Ti'n trio deud wrtha i mai Mei ydi tad Iolo?' Rhuthrodd y rhyddhad trwof yn un llifeiriant.

Edrychodd Iola arna i'n syn. 'O'n i'n meddwl bo chdi'n gwbod hynny'n barod?'

'O'n i'n meddwl ella mai Mal oedd o.'

'Mal?' medda hi efo chwerthiniad bach hunanddifrïol. 'Fysa Mal ddim yn sbio ddwywaith arna i.'

'Dyna ddeudodd ynta hefyd,' meddwn i'n ddifeddwl. Yna, wrth weld yr olwg glwyfus yn ei llygaid: '*Shit*, sorri – ddylwn i ddim fod wedi deud hynna.'

'Mae'n iawn,' medda hi mewn llais crynedig.

'Hei, tyd o 'na,' medda fi gan roi fy llaw ar ei hysgwydd. Rŵan 'mod i'n gwybod y gwir, mi fedrwn i fforddio bod yn glên efo hi.

'Doedd gen i erioed jans efo Mal, 'nenwedig ar ôl iddo fo dy gwarfod di. Chdi ydi'n Jolene i, Alys, ti'n gwbod hynny?'

'Be ti'n feddwl?'

'Ti'n gwbod – cân Dolly Parton?'

Nodiais yn chwithig. Dyna'r compliment trista i mi'i gael gan unrhyw un erioed. Yna dyma hi'n dechrau canu'r gân yn ei llais teimladwy, cras – llais delfrydol ar gyfer canu gwlad.

'*... with flamin' locks and eyes of emerald green...*
Jolene, Jolene, Jolene, Jo-lene,
I'm beggin' of you please don't take my man -
Please don't take him just because you can...
Jolene, Jo-le-e-e-ene...'

Nid mai dyn Iola oedd Mal i mi fedru ei ddwyn o oddi arni yn y lle cynta, ond wnes i ddim bod mor bitw â dweud hynny wrthi. Mae gan bawb hawl defnyddio tipyn o *poetic licence* yn awr ac yn y man...

'Alys? Alys! Ti'n 'y nghlwad i?'

Mal. Mae Mal yma, yn ôl ar ymyl y dibyn. Teimlo fy hun yn llithro eto, ond mae llaw Mal yn cydio'n dynn, dynn yn fy llaw i ac yn 'y nhynnu i fyny, a'r tro yma rydw i'n ildio ac yn gadael iddo 'nhywys i'r wyneb.

Arianrhod

'ALUN? A-lun?'

Dim ateb. *Diolch byth*, meddyliodd Arianrhod. Gyda lwc roedd o wedi mynd i chwarae golff, a olygai na fyddai'n ei ôl o'r Clwb Golff tan ar ôl iddi hi fynd i'w gwely. Agorodd y twll dan grisiau ac ochneidiodd mewn rhyddhad: roedd ei glybiau wedi mynd. Safodd yn y cyntedd am rai eiliadau i wrando ar dic-toc hypnotig y cloc wyth niwrnod yn tarfu ar y tawelwch.

'Mam? Chi sy 'na?' daeth llais Mared o'r llofft.

Melltithiodd Arianrhod yn dawel bach. Roedd hi wedi gobeithio cael y tŷ iddi hi ei hun am unwaith. Ymddangosodd Mared ar ben y grisiau, ei gwallt yn flêr a'i hwyneb a'i dillad swyddfa wedi'u crychu gan gwsg.

'Wedi bod yn gweld Anti Alys dach chi?'

'Ia.'

'Dim newid?'

Oedodd Arianrhod cyn ateb. 'Ma hi wedi deffro.'

'BE?!!'

Gwingodd Arianrhod wrth i'r desibelau fygwth byrstio drymiau ei chlustiau.

'Mae hi wedi dod ati'i hun.'

'Pam dach chi'n edrach mor ddigalon, 'ta? Mi ddylia chi fod yn neidio i fyny ac i lawr!' meddai Mared, gan sboncio i lawr y grisiau, wedi diosg ei chwsg mewn chwinciad.

'Wedi blino dwi. Yr wythnosa dwytha 'ma wedi dal i fyny efo fi'n sydyn…' Brathodd ei thafod rhag ychwanegu y basai hi'n medru gwneud efo mynd i gôma am sbel ei hun – unrhyw beth am dipyn o heddwch.

'Pam na chymrwch chi napan, 'ta? Dwi'n teimlo'n rêl boi ar ôl cau'n llgada am hannar awr bach.'

Gwenodd Arianrhod yn flinedig ar ei merch, oedd wedi etifeddu dawn ei thad i hepian a chael ail wynt ar ei hunion. Doedd dim diben trio egluro bod ei blinder hi yn llawer dyfnach na hynny.

'Na. Gymra'i banad. Fydda i'n well wedyn.'

'Siampên ddylian ni fod yn ei yfad, ddim te! Dach chi isio i mi fynd i'r Offi i brynu potal?' Daliai Mared i fownsio o gwmpas y lle fel ci mawr cynhyrfus: Labrador melyn neu *Golden Retriever* efo'i mwng o wallt melyn a'i llygaid mawr eiddgar-i-blesio.

'Dim diolch,' atebodd Arianrhod yn bendant. Er pan oedd Mared yn ferch fach, roedd ei brwdfrydedd a'i sioncrwydd yn dueddol o fynd ar nerfau Arianrhod, a hynny wedyn yn gwneud iddi deimlo'n euog, fel y gwnâi rŵan.

'Gwranda Mari,' meddai gan ffluwchio gwallt ei merch, 'gewn ni ddigon o gyfle i ddathlu eto, iawn? Y cwbwl dwi isio rŵan ydi panad a llonydd…'

Edrychodd Mared ar ei mam yn bwdlyd cyn dweud yn sydyn: 'Dach chi'n gweld isio Glenys yn ofnadwy, tydach?'

'Pam ti'n dweud hynny?' Yn amddiffynnol.

'Dach chi'm 'di bod yn chi'ch hun ers iddi adal.'

'Wel mae hynny'n naturiol, tydi?' arthiodd Arianrhod. 'Ti'n ffrindia mawr efo rhywun am flynyddoedd ac yna'n sydyn maen nhw'n cymryd yn eu penna i godi'u pac a symud i ffwrdd i fyw!'

Edrychodd Mared yn syn ar ei mam, a arferai fod mor bwyllog. Anwybyddodd Arianrhod hi a mynd ati i lenwi'r tegell, gan dasgu dŵr dros y sinc a'r sil ffenest yn y broses.

'Ti'n mynd allan heno?' gofynnodd.

'Pam dach chi'n gofyn?'

'Ti'n arfar mynd allan bob nos Fercher, dyna'r cwbwl. Nos Sadwrn Bach o gwmpas dre efo'r genod.'

'Isio cael gwarad ohona i dach chi?' Daliai i swnio'n bwdlyd. Mor wahanol i Elin ei chwaer, oedd mor chwyrn o annibynnol.

'Naci siŵr,' mynnodd Arianrhod, gan fygu'r ysfa i daro ugain punt yn llaw ei merch a'i gwthio allan drwy'r drws cefn.

'Pam na ddowch chi allan efo fi? Neith o les i chi.'

'Mared!' erfyniodd Arianrhod. '*Plîs* gad lonydd i mi!'

'Mi fasach chi'n mynd fatha siot tasa blydi Glenys yn gofyn i chi!' gwaeddodd Mared cyn rhedeg yn ôl i fyny'r grisiau ac i'w llofft, gan glepio'r drws ar ei hôl. Eiliad yn ddiweddarach, agorodd y drws drachefn.

'Ro'n i'n meddwl y basa gwell hwylia arnach chi tasa Anti Alys yn gwella, ond, yn amlwg, tydi'r ots gynnoch chi amdani hitha chwaith!' Clepiodd Mared y drws eto, â'r glep yn diasbedain trwy'r tŷ.

Eisteddodd Arianrhod yn drwm wrth fwrdd y gegin â'i phaned o'i blaen, yn gryf a melys yn ei mŷg Merched y Wawr. Cymrodd lwnc chwilboeth ohono a theimlo ei nerfau'n tawelu ar unwaith.

Gwyddai y dylai fynd i siarad efo Mared, ond fedrai hi ddim magu digon o egni nag amynedd i drio dal pen rheswm efo'i merch. Dim ond mynd o gwmpas mewn cylchoedd fasan nhw beth bynnag, gan drio'n ofer i ddeall ei gilydd. Ond doedd Mared ddim yn un i ddal dig. Byddai'n pwdu yn ei llofft am sbel, yna'n dod i lawr a dweud '*Sorri am wylltio*' cyn mynd allan i gymdeithasu, gan adael ei mam, y meudwy, ar ei phen ei hun yn yfed te yn y gegin.

Nid nad oedd hi'n falch bod Alys wedi deffro o'i thrwmgwsg. Roedd hi'n orfoleddus, dim ond fod y gorfoledd heb godi i'r wyneb eto trwy'r gors o emosiynau tu mewn iddi. Ar ôl yr holl wythnosau o deimlo mor syfrdan, roedd hi wedi anghofio sut deimlad oedd bod ar ochor orau ffawd.

Pan gerddodd Arianrhod i mewn i stafell Alys heddiw bu bron iddi â llewygu yn y fan a'r lle wrth weld ei chwaer yn eistedd i fyny yn ei gwely yn gwenu arni. Gwên wantan claf, ond gwên serch hynny. Eisteddai Mal wrth erchwyn y gwely, yn edrych yn fwy ciami nag Alys efo'r cysgodion dan ei lygaid a'r cysgod barf ar ei ên a'i ruddiau, ei law fel maneg baffio am law fechan ei wraig.

'Arián…' meddai Alys yn gryg, gan estyn ei llaw rydd i'w chwaer.

'Alys…' Camodd Arianrhod tuag ati a chydio'n dynn yn ei llaw. Teimlai y dylai ei chusanu, ond daeth rhyw swildod mawr drosti a'i hatal rhag gwneud.

'Well i mi'i throi hi rŵan,' meddai Mal, gan godi ar ei draed ac ymestyn ei freichiau a'i goesau i ystwytho tipyn ar ei gorff cyffiedig. 'Hen bryd i mi gal cawod a siêf. Cyfla i chi'ch dwy gal sgwrs – ond paid â'i gor'neud hi rŵan, Alys.'

'Lle ti 'di bod, Alys?' gofynnodd Arianrhod ar ôl i Mal adael, gan syllu i fyw llygaid emrallt ei chwaer.

'Yn Las Vegas.'

Tro Arianrhod oedd hi wedyn i adrodd ei hanes hithau, ac fel roedd ei pherthynas hi a Glenys wedi dod i ben.

'Ti'n meddwl bod 'i gŵr hi wedi ffindio allan?' gofynnodd Alys.

Ysgwydodd Arianrhod ei phen. 'Glenys oedd wedi cael digon, er na ddeudodd hi hynny. Ei hesgus hi oedd ei bod hi isio symud i fyw yn nes at Nia a'r teulu. Mi werthon nhw'r tŷ ar eu hunion, ac erbyn gweld roedd hi wedi bod â'i llygad ar dŷ yn Radyr ers talwm.'

'Ma hi wedi dy wâdd di yno, siawns?'

'Dros ysgwydd.'

'Ond mi oeddach chi'n gymaint o ffrindia.'

'Mwy na ffrindia. Dyna'r broblem.'

'Fedrwch chi'm jyst bod yn ffrindia'n ôl?'

'Na fedran. Ro'n i'n barod i adal pob dim er mwyn Glenys. Mae pobl eraill yn gadael eu teuluoedd drwy'r adeg – mi wnaeth Mam 'y ngadal i a Dad, â hynny yn ei chyfnod hi – felly pam nad oedd Glenys yn fodlon gneud hynny?'

'Rhy barchus? Rhy lwfr?'

'Neu ddim yn 'y ngharu i ddigon,' meddai Arianrhod, gan deimlo ei chalon yn gwegian.

'Ma hynny ynddi,' atebodd Alys, na fu erioed yn rhy hoff o Glenys. Glenys wên deg, oriog, feddiangar. Er hynny, roedd hi wedi meddwl y byddai Glenys yn aros yn driw i'w chwaer.

'Be amdanach chdi ac Ifor?' holodd Arianrhod yn bryfoclyd.

'Be amdano fo?' Chwarddodd Alys. 'Mi adawodd y diawl bach fi ar ddibyn y Grand Canyon. Faswn i byth yn medru'i drystio fo ar ôl hynny!'

Tywalltodd Arianrhod weddill ei thrydedd paned i lawr y sinc. Roedd hyn yn wirion, meddyliodd, yr hen stwna hunandosturiol yma. Ei bywyd yn un cylch robotaidd o gysgu, mynd i'r ysbyty i weld Alys ac osgoi pawb arall, gan foddi ei gofidiau mewn paneidiau dibendraw o de.

Ond yn awr fod Alys wedi deffro roedd yn rhaid iddi wynebu realiti unwaith eto. Derbyn ei bod hi wedi cael ei brifo a dysgu byw o'r newydd. Beth oedd hi wedi'i ddweud wrth Mared ar ôl i Guto'r Git (llysenw Elin arno) roi'r gorau iddi ar ôl iddo fynd i'r coleg? Tydi hi ddim yn ddiwedd y byd; mi ddei di drosto fo; ti'n siŵr o gyfarfod â rhywun arall, a'r holl gynghorion ystrydebol nad oedd o unrhyw gysur o gwbl i Mared ar y pryd.

Mared druan, â'i chalon wedi'i thorri'n deilchion gan ei chariad cynta, y siwdo-Farcsydd dosbarth canol oedd yn bob arwr ym mhob ffilm iddi hi. Ond, ar y pryd, roedd Arianrhod wedi gwirioni gormod ar Glenys i falio rhyw lawer am broblemau carwriaethol ei merch.

Tra oedd Mared yn treulio'i hamser yn crio yn ei llofft ac yn cicio'i hun am beidio â lluchio'i chylchgronau merchetaidd i'r bin a'u ffeirio am *Marxism Today* (ei hunig gonsesiwn i gomiwnyddiaeth oedd y poster Che Guevara ar wal ei stafell wely), roedd bywyd ei mam yn un bwrlwm o lawenydd yng nghwmni Glenys.

Tybiai Arianrhod weithiau, wrth drio dadansoddi a chyfiawnhau ei theimladau tuag at Glenys, mai'r ffaith ei bod hi wedi cael ei magu heb fam ar yr aelwyd a barodd iddi syrthio mewn cariad efo dynes. Hwyrach mai dyna pam hefyd na fu hi ei hun yn fam well. Hynny a chael ei magu gan Efengylwr o dad mewn gwlad ddiarth.

Dim bod Gerallt, ei thad, yn ddyn strict o gwbl. A dweud y gwir, roedd o'n greadur ffeind ar y naw, dim ond ei fod o'n gymaint o hen wlanen. Dyn a ddewisodd lyncu'r ffydd Efengylaidd am fod hynny'n opsiwn haws, opsiwn oedd yn ei arbed o rhag gorfod gwneud gormod o benderfyniadau mewn bywyd. Credai felly mai Duw, yn hytrach na dialedd, a barodd iddo fudo i Ganada efo'i unig ferch ar ôl i Megan eu gadael.

Pan oedd Arianrhod yn un ar bymtheg, cyhoeddodd Gerallt ei fod yn mynd i ailbriodi â gwraig weddw o fewn ei ofalaeth. Ac er bod Arianrhod yn hapus drosto, penderfynodd fachu ar y cyfle i ddychwelyd i Gymru at ei mam, ei llystad a'i hanner chwaer.

Ond er iddi gael pob croeso gan y tri ohonyn nhw, fe deimlai allan o le yno rywsut. Felly ar ôl gadael y Coleg Technegol ym Mangor, fe gafodd swydd a gŵr yn y Cyngor Sir, yn ogystal â chriw da o ffrindiau a chydnabod, gan gynnwys un ffrind mynwesol o'r enw Glenys.

Ond yn awr roedd Glenys wedi mynd, a chyfnod yn ei bywyd wedi dod i ben. Beth oedd hi'n mynd i'w wneud? Dihoeni nes ei bod hi'n ddim ond plisgyn o hunandosturi? Yn sydyn, ac am y tro cynta ers wythnosau, teimlodd Arianrhod chwant bwyd mawr yn rhuo yn ei stumog. Aeth i fyny'r grisiau a churo ar ddrws llofft Mared.

'Be dach chi isio?' daeth llais pwdlyd o'r tu mewn.

'Ti'sio bwyd?'

'Ga'i jips neu *kebab* efo'r genod nes 'mlaen.'

'Meddwl o'n i y basa chdi'n lecio mynd am bryd o fwyd i'r lle Eidalaidd newydd 'na yn dre.'

Saib. Yna agorodd y drws yn araf, â Mared yn sefyll yno yn dal i drio edrych yn flin.

'Efo pwy?'

'Efo fi.'

'Be – jyst y ddwy ohonan ni? Chi a fi?'

Sylweddolodd Arianrhod efo pang o dristwch ei bod hi braidd yn rhy hwyr erbyn hyn i ddweud wrth ei merch ei galw hi'n 'ti'. 'Os leci di.'

'Dwi'n cwarfod y genod am wyth.'

'Fedri di ddal i fyny efo nhw wedyn.'

Gloywodd gwyneb Mared, â'i gwên yn gwneud i Arianrhod ddifaru na fyddai wedi gwneud mwy o ymdrech i blesio ei merch cyn hyn.

'Rhowch hannar awr i mi, 'ta, i mi gal ffonio Lara a gneud fy hun yn barod. Dach chi isio cawod gynta?'

'Na, dos di. Mi ges i fath bora 'ma.'

Ac i ffwrdd ag Arianrhod i ymbincio a newid, gan sylweddoli wrth fynd trwy ei wardrob mor ganol oed oedd ei dillad. Mor M&S. Mor Glenys. Byddai'n rhaid iddi brynu dillad newydd. A phenderfynodd ofyn i Mared dros basta a photel o win heno a fyddai'n fodlon mynd efo hi am sbri siopa i Gaer ddydd Sadwrn.

Ratsh

MAE 'na naws Gothig i'r stafell fwyta, â'r canhwyllau ar y bwrdd mawr derw yn taflu llewyrch a chysgodion ar y waliau rhosliw tywyll. Mewn tai bonedd ers talwm, roedd hi'n arferiad llifo'r waliau â gwaed mochyn er mwyn cael effaith debyg.

Gobeithio y bydd Dave yn licio'r stafell, a'r bwyd dwi wedi bod wrthi drwy'r dydd yn ei baratoi.

Pate cyw iâr, brandi a pherlysiau i ddechrau; ffesant mewn triog efo pentwr o lysiau a thatws rhost yn brif gwrs; a silabwb lemwn yn bwdin. Gwinoedd gwahanol ar gyfer pob cwrs, yna port a Stilton a choffi i orffen. Y bwyd i gyd yn ffres ac organig, a'r gwinoedd wedi eu dethol yn ofalus o seler win Gej.

Ffoniodd Gej eto heddiw. Mae'r peiriant ateb ymlaen gen i drwy'r adeg erbyn hyn am nad ydw i isio siarad efo fo. A dweud y gwir tydw i ddim isio siarad efo neb ond Dave y dyddiau yma, felly mi fydda i'n chwalu neges pawb arall cyn iddyn nhw gael cyfle i fwydro 'mhen i. Gej yn benna, yn 'y mhlagio i ynglŷn â'r tŷ: isio ei werthu a rhannu'r eiddo a'r arian rhyngon ni. Lowri sy tu ôl i'r peth mae'n siŵr, ond dwi'n bwriadu gwario'r cwbwl lot cyn i'r wrach honno gael ei bacha ar yr un geiniog.

Dwi'n sbio ar fy oriawr eto: 8.23. Mae Dave bron i hanner awr yn hwyr. Dwi'n tywallt jochiaid arall o win i 'ngwydr, er 'mod i eisoes wedi yfed gormod ar stumog wag wrth goginio yn y gegin. Ond er gwaetha'r arogleuon blasus sy'n dod oddi yno, does dim awydd bwyd arna i. Dwi'n rhy nerfus yn un peth: 'ngholuddion i'n glymau, 'nghalon i'n curo'n gyflym, a 'nwylo i'n crynu.

Dwi'n hen gyfarwydd â'r symptomau erbyn hyn: yr aflonyddwch sy'n arwain at gythrwfl corff a meddwl, yna'r crefu uwchlaw popeth arall am gyffur i 'nofi. Dwi wedi gofyn i Dave ddod â digon o stwff efo fo gan fod 'y nghelc i bron â diflannu. Be tasa fo ddim yn dŵad? Be faswn i'n ei neud wedyn? Dwi'n teimlo pang sydyn o banig, ac yn gwybod bod yn rhaid i mi gael ffics ar unwaith, cyn i Dave gyrraedd − os ydi o'n mynd i gyrraedd o gwbl.

Hanner awr yn ddiweddarach, a dwi'n teimlo'n dawelach fy ysbryd, yn barod i dderbyn fy ffawd. *Que sera sera*. Dwi'n teimlo fel y prif gymeriad yn *The Roman Spring of Mrs Stone* sy ar fin taflu ei goriad drwy'r ffenest i'r llerciwr sy wedi bod yn ei ddilyn yn y stryd islaw.

Mae'r gloch yn canu o'r diwedd. Dwi'n cymryd llymaid arall o win coch, yn codi'n ara deg ac yn mynd i agor y drws.

Joshua

Beth wedodd Oscar Wilde – ei bod hi'n anffodus colli un rhiant ond yn esgeulus colli'r ddau? Rhywbeth fel'ny, beth bynnag. Rhywbeth sy'n berthnasol i mi, er nad sôn am rieni odw i. Fe golles i 'ngwraig ddwy flynedd yn ôl, ac yn awr rwy mewn peryg o golli fy unig ferch.

Canser gafodd Megan. Canser y stumog, a ledodd trwyddi o fewn deufis. Fe wrthododd hi bob triniaeth, ar wahân i gyffurie lladd poen. Dim cemotherapi. Roedd hynny fel chwistrellu gardd gyfan gyda chwynladdwr er mwyn cael gwared ar un chwynyn bach, medde hi. Yr ardd i gyd yn cael ei difa er mwyn 'ny.

'Ond ma'r glaswellt yn siŵr o dyfu'n ôl,' meddwn i.

'Beryg i'r chwyn dyfu'n ôl hefyd,' medde hi. Megan a'i hatebion parod, fythol ddoeth, a arferai hala Alys yn benwan.

'Sut beth ydi bod mor blydi perffaith, Mam?' gofynnodd iddi un tro.

'Rhwystredig iawn mewn byd mor amherffaith,' atebodd Megan fel siot. O leia roedd gan Alys ddigon o ras a hiwmor i chwerthin.

Ond er gwaetha'r gwrthdaro rhwng y ddwy, bu Alys yn arbennig o dda wrth Megan pan aeth hi'n sâl. Fe ddaeth hi aton ni i aros yn ystod yr wythnose ola gan fod Megan yn dymuno marw gatre yn hytrach nag mewn ysbyty, er bod 'na nyrs Macmillan yn dod draw bob dydd hefyd.

Roedd Alys yn nyrs ardderchog, yn ymgymryd â'r pethe 'ny na allwn i eu stumogi, fel molchi Megan bob bore a dal powlen o'i blaen pan fydde hi'n whydu'r tamed bach o fwyd roedd hi wedi'i gorfodi'i hunan i'w fwyta. Mor ymarferol a diffwdan, tra 'mod i'n stecs emosiynol.

'Hogan dda ydi hon,' medde Megan un diwrnod, gan afel yn llaw Alys yn ddiolchgar.

'Paid â rwdlian rŵan,' medde Alys, gan droi bant yn sydyn rhag ofn i Megan weld ei llyged yn llenwi â dagre. 'Ti'n fam i mi, twyt?'

Roedd fy llysferch, Arianrhod, yn fwy fel fi – yn ffaelu ymdopi â'r holl fryntni a ddaw yn sgil salwch difrifol. Gwynt ange yn llenwi'r lle, gan wneud i ni deimlo fel rhedeg milltir. Arianrhod oedd yr un y byddech chi'n ddisgwyl iddi fod fwya *hands-on* o'r ddwy chwaer, am y rheswm syml ei bod hi'n ymddangos yn fwy confensiynol, ond profodd Alys taw hi oedd yr un i droi ati mewn argyfwng. Ac o! ro'n i'n browd ohoni.

Dwi'n credu taw cwrdd â Mal oedd y peth gore ddigwyddodd i Alys. Fel yn fy hanes i wrth gwrdd â Megan. Fe gadwodd Mal 'i thraed hi ar y ddaear a'i harbed hi rhag mynd ar gyfeiliorn, fel y galle hi fod wedi mynd yn hawdd petai hi wedi cwrdd â rhywun mwy chwit-chwat a dilyn gyrfa anwadal actores.

Rodd hi'n actores dda, heb os nac oni bai, ond dyw hynny ddim yn rhoi sicrwydd gwaith mewn byd digon didrugaredd sy'n dibynnu mwy ar gyfleoedd lwcus yn aml. Hefyd, rodd ganddi fy enw amlwg i fel maen tramgwydd am ei gwddwg, druan fach. Sai'n siŵr shwt alle unrhyw un ein cyhuddo ni o nepotistiaeth â ninne mewn meysydd hollol wahanol i'n gilydd, ond bydde'r Cymry yn siŵr o ffindo ffordd. Maen nhw'n hen lawie ar dynnu'i gilydd yn grïe.

Ond hyd yn oed ar ôl iddi briodi a chael plant, roedd yr hen Alys wyllt yn dal i fflachio yn ei llyged ambell waith. Ro'n i'n falch o hynny 'fyd, gan nad yw'n beth da i unrhyw un gael ei ddofi'n llwyr.

Mae Alys wedi bod yn drifftio mewn a mas o ymwybod yn ystod y dyddie dwetha 'ma, gan lwyddo i gadw'n effro am awr neu ddwy ar y tro weithie. Mae pawb fel tasen nhw'n meddwl bod hynny'n arwydd da, er bod y doctoried yn rhybuddio y galle hi gael gwaedlin arall ar y 'mennydd unrhyw bryd. Ac er eu bod nhw'n eu siarsio hi i orffwys, mae hi'n mynnu siarad 'da phawb – bron fel tase hi'n gwbod na chaiff hi gyfle i wneud hynny 'to.

Ddylwn i ddim meddwl pethe fel'ny, wy'n gwbod, ond wy'n ffaelu peido wrth weld yr un olwg o *resignment* ar ei hwyneb ag oedd 'na ar wyneb Megan cyn iddi hi farw. Golwg heddychlon bron, gyda dim ond arlliw bach o banig, fel person sy â'i fryd ar ladd ei hunan yn hongian wrth y dibyn ac ar fin gollwng gafael.

Roedd colli Megan yn ddigon drwg, ond mae colli merch yn waeth, yn mynd yn hollol groes i drefen pethe. Achos, er ei bod hi'n hanner cant, 'y merch fach i yw hi o hyd. Dim ond diolch bod Evelyn, 'y nghymdoges, yma'n gefen i fi, fel y mae hi wedi bod yn ystod y misoedd dwetha ers i ni dyfu'n ffrindie. Yn ogystal â 'nheulu wrth gwrs. Cadi a Sam a Mal ac Arianrhod. Ar adege fel hyn, teulu a ffrindie yw'r unig beth sy'n rhoi'r ewyllys i rywun gario 'mlaen.

Gej

'GWRANDA, RATSH, elli di ddim peidio ateb y ffôn am byth. Os nad wyt ti'n fodlon trafod hyn efo fi'n bersonol, yna fydd gen i ddim dewis ond cysylltu efo ti trwy dwrne, ti'n clywed?'

Fy llais fy hun yn chware ar y peiriant ateb, yn daer, yn ymylu ar fod yn despret.

'Os ti'm yna, ffonia fi pan ddoi di'n ôl adre, iawn? Plîs?' Yna, mewn llais is, 'Mae Lowri'n dechre colli mynedd ac am i mi fynd at dwrne'n syth, ond fase'n well gen i allu setlo hyn rhyngthon ni'n dau. Iawn? Mi fase'n neis clywed dy lais di, beth bynnag…'

Neis clywed dy lais di! Wedi'i luchio fel abwyd ar ddiwedd y neges, gan swnio'n hollol ffals, er 'mod i wedi'i feddwl o ar y pryd. Wela i ddim bai arni am beidio â ffonio'n ôl os y clywodd hi'r neges. Gobeithio na wnaeth hi. Gobeithio i dduw na wnaeth hi.

Ddylwn i ddim bod wedi cyffwrdd yn y corff, ond 'y ngreddf gynta, pan gerddais i mewn i'r tŷ a'i gweld hi'n gorwedd ar lawr oedd gafael ynddi a'i hysgwyd mewn ymgais i'w deffro. Ond mae Ratsh yn dal i orwedd yno'n berffaith llonydd, a'i llyged yn dal i syllu'n ddall o'i blaen, a chyn hir bydd ei chorff yn troi'n stiff ac oer.

Mi fydd yr ambiwlans a'r heddlu yma gyda hyn, er na fydd y paramedics yn gallu gwneud dim. Chân nhw ddim ei symud hi rŵan ei bod hi wedi marw. Mi fydd yna bost mortem, wrth gwrs, er ei bod hi'n amlwg be ddaru'i lladd hi. *Overdose* anferth o heroin. Mae'r nodwydd ar y llawr, a'r hylif gwyn gludiog a chwydwyd o'i cheg a'i ffroenau hi yn dangos hynny. Sut fath o heroin oedd o sy'n beth arall.

Pwy oedd hi'n ei ddisgwyl yma neithiwr? Roedd y bwrdd wedi'i osod i ddau, ac arno mae 'na blât â gweddillion tôst a phate wrth ymyl gwydr gwin chwarter llawn a photel win wag. Mae'n amlwg oddi wrth y llestri glân a'r pentwr o fwyd sy ar ôl yn y gegin mai dyna'r cyfan gafodd ei fwyta. Hwyrach ei bod hi wedi disgwyl i mi alw. Hwyrach ei bod hi wedi mynd o'i cho a bod ganddi ffrind neu gariad dychmygol. Hwyrach bod ganddi ffrind neu gariad go-iawn. Hwyrach y dylwn i fod wedi bod yn dditectif.

Mae'r ffôn yn canu'n sydyn, gan wneud i mi neidio, yna'n tewi'r un mor sydyn wrth i'r peiriant ateb ddod ymlaen:

'Gej? Wyt ti 'na? Ratsh? Gwed wrth Gej roi caniad i mi, nei di? 'Da fi newyddion da iddo fe… Wâth i ti gal gwbod ddim. Wy'n dishgwl babi… Ti'n clywed, Ratsh? Wy'n dishgwl babi Gej… *So long.*'

Dwi'n syfrdan. Wedi'm fferru, er bod 'y mhen i'n ferw gwyllt. Tase Lowri yma rŵan mi faswn i'n ei thagu hi, yn cydio yn ei gwddw a gwasgu pob defnyn o sbeit allan ohoni. Fyddai dim byd ar ôl ohoni wedyn, beryg. Y cyfan dwi wedi'i gael ganddi'n ddiweddar ydi achwyn di-ben-draw. Isio hyn, isio'r llall. Isio i mi fynnu fy siâr. Isio babi hyd yn oed, a finne'n tynnu at fy hanner cant. A rŵan mae hi wedi cael ei dymuniad. Nid yn hollol chwaith, gan nad ydi hi wedi llwyddo i rwbio trwyn Ratsh yn y newyddion. Y bitsh! Tydw i ddim isio plentyn efo hi. Tydw i ddim isio byw efo rhywun mor grafangus a chreulon. Ond mae hi'n rhy hwyr rŵan i droi'r cloc yn ôl a dadwneud yr holl niwed a wnaed. Yn rhy hwyr i grio er bod fy nhu mewn yn galarnadu fel seiren yr ambiwlans sy'n nesáu.

Alys

CYN I MI ADAEL am y tro ola, dywedais wrth Mal nad oeddwn i am iddo fo wasgaru fy llwch i dros y Grand Canyon ar ôl i mi farw wedi'r cyfan. Roedd hi'n amlwg ar yr olwg ddi-glem ar ei wyneb nad oedd syniad ganddo am be roeddwn i'n sôn, ond doedd gen i ddim mynadd nac egni i drïo procio'i gof o.

'Beth bynnag, dwi wedi newid fy meddwl. Dwi isio iddo gael ei wasgaru o ben Twr Marcwis.'

'Twr Marcwis?'

'Ia.'

'Ti'm isio cael dy gladdu efo fi?'

Mal bach, meddyliais, *dwi wedi treulio cyfran helaeth o fy oes efo chdi'n barod. Tydw i ddim isio treulio tragwyddoldeb o dan y ddaear efo chdi hefyd.* Ysgwydais fy mhen dan wenu'n wan.

'Pam ti'n sôn am farw beth bynnag? Ti 'di deffro. Ti ar y ffordd i fendio'n iawn rŵan.'

Ysgwydais fy mhen eto gan sbio i lawr ar fy nwylo er mwyn osgoi ei lygaid.

Fedrwn i ddim diodda gweld y poen a'r panig ynddyn nhw, ond, eto, fedrwn i ddim gadael iddo obeithio'n ofer 'mod i'n mynd i fyw.

'Wyt, Al. Ti'n mynd i wella. Wedyn gawn ni fynd ar wylia i rwla ti'sio. Gwell i chdi weld y Grand Canyon pan ti'n fyw nag ar ôl i chdi farw.'

Dwi wedi bod yno'n barod. Efo Ifor. Yn fy nhrwmgwsg hir,
breuddwydiais 'mod i wedi camu i ryw fath o fydysawd paralel lle
roeddwn i wedi dy adael di am Ifor. Ond sut fedra i fod mor siŵr
mai breuddwydio roeddwn i? Ella mai hyn ydi'r freuddwyd: fi yma
mewn ystafell ysbyty efo chdi, â'm gafael ar fywyd yn llacio mwy
bob eiliad…

Sut fasai Mal wedi ymateb petawn i wedi dweud hynny wrtho?
Fy nghyhuddo o fod yn anffyddlon mae'n siŵr, ac mewn ffordd,
mae'n debyg 'mod i.

'Dwi o ddifri ynglŷn â'r llwch, Mal.'

Ar ôl ysbaid hir, mi atebodd o:

'Iawn, ond mi faswn i'n licio cadw dipyn bach ohono fo
os ca i.'

'I be?'

'I'w blannu yn yr ardd.'

'I'w gladdu ti'n feddwl.'

'Naci, ei blannu fo, efo coedan. Dy goedan di fysa hi
wedyn. Coedan Alys.'

Daeth lwmp mawr i'm gwddw a llenwodd fy llygaid â
dagrau. 'Cei siŵr. Dwi'n licio'r syniad yna.'

'Paid â marw, Al.' Cydiodd Mal yn fy llaw, â dagrau lond
ei lygaid.

'Fedra i ddim cwffio dim mwy, Mal. Dwi 'di trio, ond
fedra i ddim.'

'Medri, siŵr. Angan gorffwys sy arnach chdi, â finna fa'ma
yn dy flino di. Trïa di gysgu chydig…'

Ysgwydais fy mhen eto, wedi ymlâdd erbyn hyn. Gwasgais
ei law a thrio dweud 'Garu di,' ond ddaeth 'na ddim byd
allan. Roedd fy llais wedi darfod yn barod.

Daliodd Mal i afael yn fy llaw wrth i mi deimlo fy hun yn
llithro ymaith, fel ysbryd yn codi a gadael fy nghorff yn gragen
wag ar y gwely.

Sylweddolais yn rhy hwyr nad oedd llawer o ots beth fyddai'n digwydd i 'nghorff i wedi'r cyfan, ond eto roedd 'na rywbeth braf mewn meddwl amdano'n cael ei wasgaru i'r pedwar gwynt, yn llwch hudol dros Ynys Môn. Fel llwch Mam o 'mlaen. Ar ôl dyheu'n dragywydd am ryw fan gwyn annelwig, creaduriaid plwyfol iawn ydan ni yn y bôn.

Am restr gyflawn o lyfrau'r wasg,
mynnwch gopi o'n Catalog newydd, rhad
– neu hwyliwch i mewn i'n gwefan

www.ylolfa.com

i chwilio ac archebu ar-lein.

TALYBONT CEREDIGION CYMRU SY24 5AP
e-bost ylolfa@ylolfa.com
gwefan www.ylolfa.com
ffôn (01970) 832 304
ffacs 832 782